2024-2027年対応版

ケアマネ・相談援助職必携

プロとして知っておきたい！

介護保険のしくみと使い方

中央法規「ケアマネジャー」編集部 編集

中央法規

【本書の表記について】

- 介護報酬単位は、2024年4月・6月からの単位を示しています。
- 本書で示す介護報酬の単位は、１単位10円で計算したものです。
- 利用者負担については、１割負担の場合の数字で示しています。

各サービスの加算・減算の主なものは、単位表の下に示しました。
各サービスに共通のものも多いため、参照ページを（　）で示しました。

はじめに

ケアマネジャーをはじめとする相談援助職が業務を行ううえで、最も重要となるのが介護保険制度の理解です。しかしながら、こうした専門職の養成課程においては、同制度について理解を深める時間は十分に割かれているわけではありません。そのため、実際の現場で、「制度が複雑で改正も頻繁なため、理解することが難しい」「利用者・家族に対してサービスの内容をうまく説明できない」といった悩みを抱える方が多いようです。

本書ではこうした相談援助職の悩みに応えるべく、介護保険制度について、各サービスの内容・利用の手続き、報酬単位、ケアプラン作成時のポイントなどを、オールカラーで豊富なイラスト・図表を交えて、わかりやすく解説しました。また、利用者・家族に説明する際の“専用ページ”もサービスごとに掲載しました。

2024-2027年対応版は、制度改正に合わせて最新情報を網羅し、内容や数値を全面的に見直しているのはもちろん、さらに誌面を読みやすく、相談援助職の方々が現場でさらにご活用できるよう、さまざまな工夫を凝らしています。

ぜひ、本書を皆様の業務にお役立ていただけますと幸いです。

中央法規「ケアマネジャー」編集部

CASE 1
年齢を重ねて
このまま暮らしていけるか
不安……
燃えるゴミ？
○月
スーパー
遠いなぁ
・・・

CASE 2
1人暮らしの
お母さんの様子が
なんだか変！？
味噌
!

必要になるとき

CASE
3
自宅で転んで
骨折してしまった

日中は仕事が忙しいからなぁ
CASE
4
もうすぐ退院
このまま家に帰ると
生活はどうなるの？
どうしよう
？

介護保険サービス利用までの

介護が必要になる

→

2章
要介護認定を受ける

→ 自宅で暮らす

P52 ～ 129
自宅で介護の受け入れ態勢を整える

→ 施設で暮らす

P130 ～ 157
入所する施設を決定する

3章 自宅で受けられる介護保険サービス

自宅に来る

- 訪問介護（P52）
- 訪問入浴介護（P58）
- 訪問リハビリテーション（P62）
- 訪問看護（P66）
- 居宅療養管理指導（P70）
- 夜間対応型訪問介護（P116）
- 定期巡回・随時対応型訪問介護看護（P110）

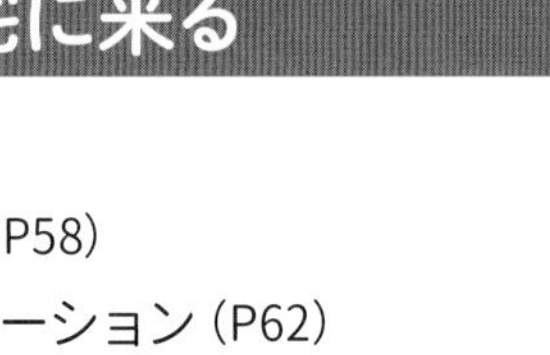

施設に行く

- 通所介護（P74）
- 通所リハビリテーション（P80）
- 短期入所生活介護（P84）
- 短期入所療養介護（P90）

訪問・通い・宿泊

- 小規模多機能型居宅介護（P120）
- 看護小規模多機能型居宅介護（P126）

流れと利用できるサービス一覧

各種介護保険サービスを使いながら自宅で暮らす

在宅から施設に入所することも。

訪問サービス

宿泊サービス

通所サービス

入所

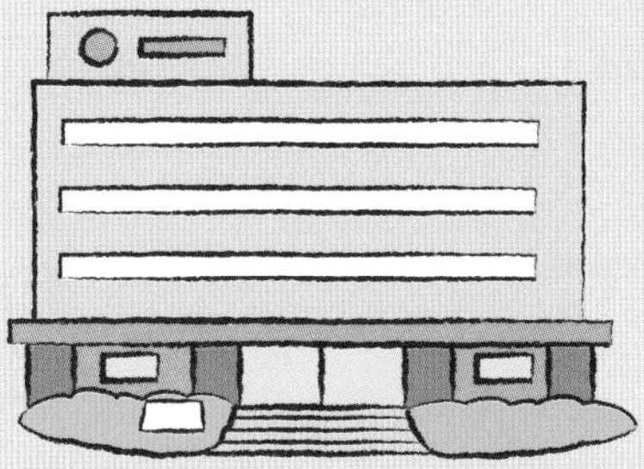

施設を退所して自宅に帰ったり、一時帰宅することも。

3章 入所して暮らせる介護施設

介護保険施設

- 介護老人福祉施設（特養）（P136）

- 介護老人保健施設（P142）

- 介護医療院（P148）

その他の介護施設

- 認知症対応型共同生活介護（グループホーム）（P130）
- 有料老人ホーム（介護付き・住宅型）（P152）
- サービス付き高齢者向け住宅（P152）
- ケアハウス（P153）
- 養護老人ホーム（P153）

本書の使い方

①
章ごとに基本色が分かれているだけでなく、主な項目がタイトルになっているので、知りたい項目を簡単に探せます。

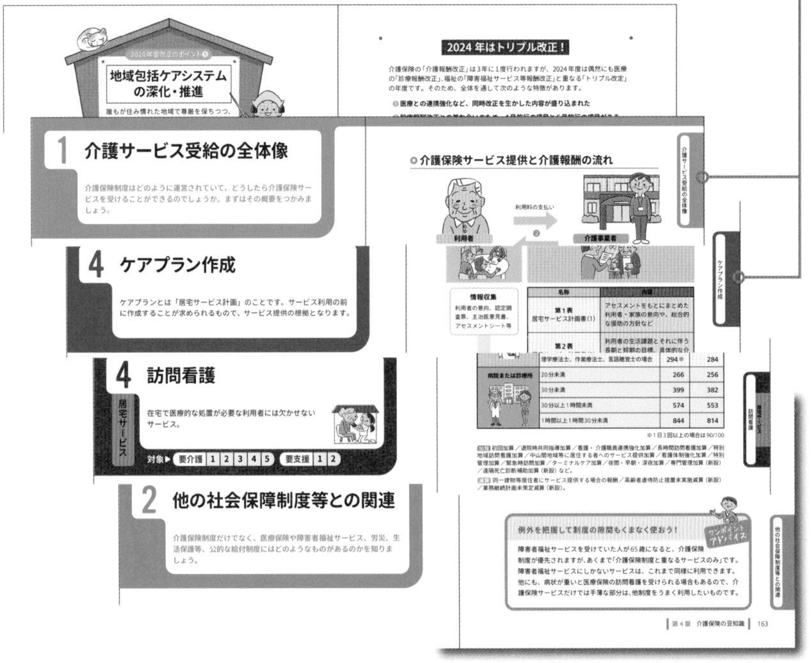

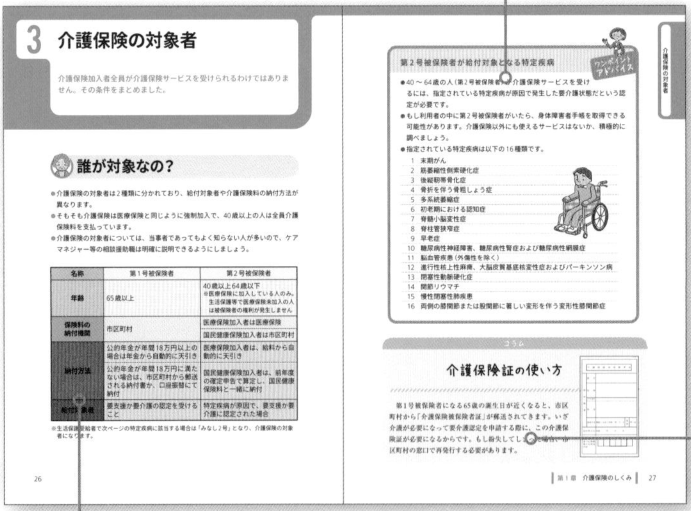

②
ワンポイントアドバイス
業務上ケアマネジャー等の専門職が知っておくと便利な知恵・情報をまとめています。

③
コラム
介護保険とケアマネジャーをめぐるさまざまな情報を紹介しています。

④
図表を多用したカラフルな誌面で、ひと目で情報をキャッチできる工夫をしています。

POINT

⑤ 第３章「介護保険のサービスと使い方」では、１つのサービスを「専門職向け」、「利用者向け」とに分けて説明しています。

専門職向け

専門職が読んで、各サービスの理解を深めます。

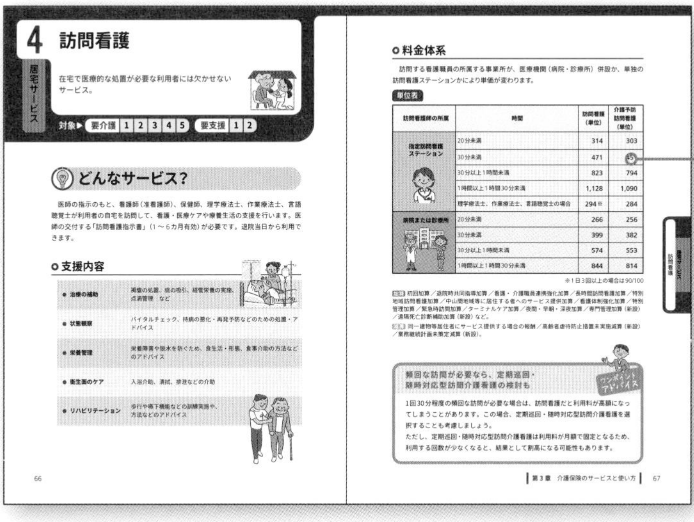

⑥ 費用

専門職には単位で、利用者には円で載っているので金額の多寡がひと目でわかります。

利用者・家族向け

本人・家族にサービスの説明をする際に、このまま利用できます。

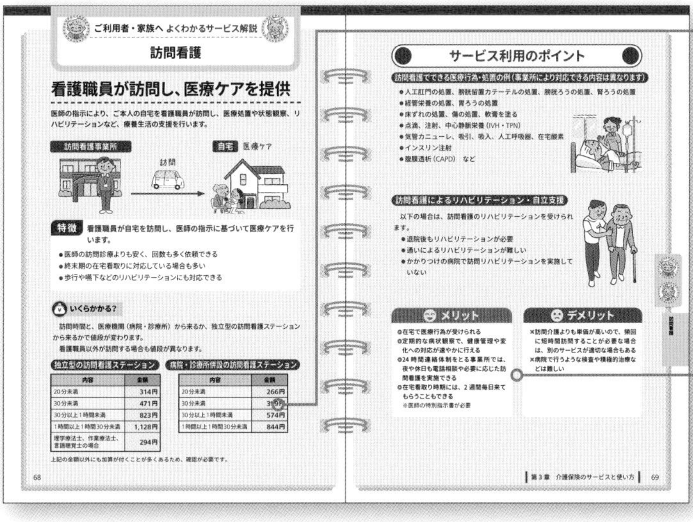

⑦ サービス

利用者・家族向けページでは平易な言葉で説明しているので、具体的にイメージすることができます。利用者がサービスを選択する際の助けになるよう、そのサービスのメリット・デメリットもコンパクトにまとめました。

目次

第3章 介護保険のサービスと使い方

注目 TOPICS

2024年度
改正のポイント

2024（令和6）年4月1日から
新たな改正介護保険が施行されます。
どこが大きく変わったのか、
改正のポイントをおさえておきましょう。

2024年度改正のポイント❶

地域包括ケアシステムの深化・推進

誰もが住み慣れた地域で尊厳を保ちつつ、質の高いケアマネジメントや必要なサービスが切れ目なく提供されるよう、柔軟かつ効率的な取組を推進します

❶ 医療と介護の連携の推進

- 訪問看護の加算を新設することで、在宅での医療ニーズに対する対応を強化します
- 所定疾患施設療養費の対象に慢性心不全を追加します
- 退院後のリハビリテーションは、入院中に医療機関が作成したリハビリテーション実施計画書を入手し、内容を把握することを義務付けます
- 在宅医療を担う医療機関等と高齢者施設等との連携体制を構築します
- 診療報酬改定の施行に合わせるため、次の介護報酬改定は2024年6月に施行されます

2024年6月施行

訪問看護	訪問リハビリテーション	通所リハビリテーション	居宅療養管理指導

❷ 質の高い公正中立なケアマネジメント

- ヤングケアラーなどの多様な課題への対応を促進するため、居宅介護支援における特定事業所加算の算定要件を見直します

❸ 感染症や災害への対応力向上

- 高齢者施設等で、医療機関と連携して感染症対策をした場合の加算を新設します
- 緊急時の業務継続計画が未策定の場合は減算します（1年間の経過措置）

2024年はトリプル改正！

介護保険の「介護報酬改正」は3年に1度行われますが、2024年度は偶然にも医療の「診療報酬改正」、福祉の「障害福祉サービス等報酬改正」と重なる「トリプル改定」の年度です。そのため、全体を通して次のような特徴があります。

❶ **医療との連携強化など、同時改正を生かした内容が盛り込まれた**

❷ **診療報酬改正との兼ね合いのため、4月施行の項目と6月施行の項目がある**

❸ **2024年度の介護報酬改定の改定率は、＋1.59%に決定**
処遇改善加算の賃上げ効果なども見込まれるので、合計すると＋2.04%相当の改定になる

❹ 高齢者虐待防止の推進

● 虐待の発生や再発を防止するための措置が講じられていない場合に減算します

❺ 認知症の対応力向上

● 認知症のチームケアを評価する加算を新設します

❻ 福祉用具貸与・特定福祉用具販売の見直し

● 福祉用具の適時・適切な利用、安全を確保する観点から、一部の用具について貸与と販売の選択制を導入します

❼ 地域の実情に応じた柔軟かつ効率的な取組

● 訪問介護で、中山間地域等で継続的なサービス提供を行っている事業所のために、特定事業所加算を見直します

❽ 看取りへの対応強化

● 各種サービスにおける、看取り・ターミナルケア加算を見直します

2024年度改正のポイント❷

自立支援・重度化防止に向けた対応

「高齢者の自立支援・重度化防止」という制度の趣旨に沿って、多職種連携やデータの活用を推進します

❶ リハビリテーション・機能訓練、口腔、栄養の一体的取組等

- 自立支援・重度化防止を効果的に進めるために、介護老人保健施設・介護医療院・介護老人福祉施設、通所リハビリテーションなどの加算を見直します
- 通所リハビリテーションの事業所規模別の基本報酬を見直します
- 訪問介護等で、歯科医療機関等への情報提供を評価する加算を新設します
- 介護保険施設の管理栄養士が、入所者の栄養管理に関する情報を提供することを評価する加算を新設します

❷ 自立支援・重度化防止に係る取組の推進

- 個室ユニット型施設の管理者は、ユニットケア施設管理者研修を受講するよう努めます
- 通所介護等の入浴介助加算、在宅復帰・在宅療養支援等評価指標及び要件、介護老人保健施設における入所前の主治医と連携等の評価を見直します

❸ LIFE を活用した質の高い介護

- LIFE の入力項目の定義の明確化や入力負担を軽減します

2024年度改正のポイント❸

良質な介護サービスの効率的な提供に向けた働きやすい職場づくり

介護人材不足の中で、介護サービスの質の向上を図るため、処遇改善や生産性向上による職場環境の改善に向けた先進的な取組を推進します

❶ 介護職員の処遇改善

- 介護職員の処遇改善をできるだけ多くの事業所に活用してもらえるよう、3つに分かれていた処遇改善加算を一本化します。2024年6月から施行されます

介護職員処遇改善加算
介護職員等特定処遇改善加算
介護職員等ベースアップ等支援加算

→ 新設 **介護職員等処遇改善加算**

❷ 生産性の向上等を通じた働きやすい職場環境づくり

- テレワークの推進やICTの活用と関連した人員配置の見直しを行います
- 利用者の安全と介護サービスの質の確保、職員の負担軽減の方策を検討するための委員会の設置を義務付けます（3年間の経過措置）

❸ 効率的なサービス提供の推進

- 管理者が兼務できる事業所の範囲を拡大します
- 訪問看護で看護師等以外の職員も電話連絡を受けられるようにします
- 居宅介護支援費の要件を緩和します

2024年度改正のポイント❹

制度の安定性・持続可能性の確保

介護保険制度の安定性・持続可能性を高め、全ての世代にとって安心できる制度を構築するための見直しを行います

❶ 評価の適正化・重点化

- 訪問介護の同一建物減算を見直します
- 訪問看護で理学療法士等の訪問の基本報酬と、12 月を超えた場合の減算を見直します
- 短期入所生活介護での長期利用の場合、施設入所の報酬単位との均衡を図ります
- 介護支援専門員の業務評価を見直します
- 多床室の室料負担について、予算編成過程で検討します

❷ 報酬の整理・簡素化

- 介護予防通所リハビリテーションの報酬体系を簡素化します
- 定期巡回・随時対応型訪問介護看護と夜間対応型訪問介護の将来的なサービスの統合を見据えて、夜間対応型訪問介護に新たな区分を新設します

2024年度改正のポイント❺

その他

- 介護サービス事業者に、重要事項等のウェブサイトへの公表を義務付けます
- 通所系サービスにおける送迎は、他の介護事業所の利用者との同乗を可能とします
- 令和６年度以降の級地の設定に特例を設け、公平になるようにします

第1章

介護保険のしくみ

介護保険サービス受給までの全体像を
みていきます。

介護保険は給付サービスだけではありません。
今後重要になってくる地域包括支援センターの
役割や地域支援事業についても、
理解しておきましょう。

1 介護サービス受給の全体像

介護保険制度はどのように運営されていて、どうしたら介護保険サービスを受けることができるのでしょうか。まずはその概要をつかみましょう。

介護保険制度のしくみ

右ページの図で、介護保険制度の全体像をみてみましょう。

❶ 利用者が市区町村に要介護認定の申請を行い、認定を受けます。
❷ 介護保険サービスを利用した場合、利用者本人が費用の１～３割を介護事業者に支払います。
❸ かかった費用の残りの７～９割は、国民健康保険団体連合会（国保連）が管理している介護保険財源から事業者に支払われます。
❹ 国保連は市区町村に費用を請求し、国からの補助金や税金を含む介護給付費を受け取ります。

介護保険サービス開始までの流れ

要介護認定の申請

住民票のある市区町村に、要介護認定を受けるための申請をします

➡ P36

認定調査

認定調査員が自宅に訪ねてきて、どのような状況なのか調査を行います

➡ P38

一次判定

調査の結果をもとに、一次判定が出されます。コンピュータによる判定で、まだ確定ではありません

➡ P40

二次判定

介護認定審査会で二次判定を行います。主治医の意見等も考慮して話し合われ、これが最終結果です

➡ P40

○介護保険サービス提供と介護報酬の流れ

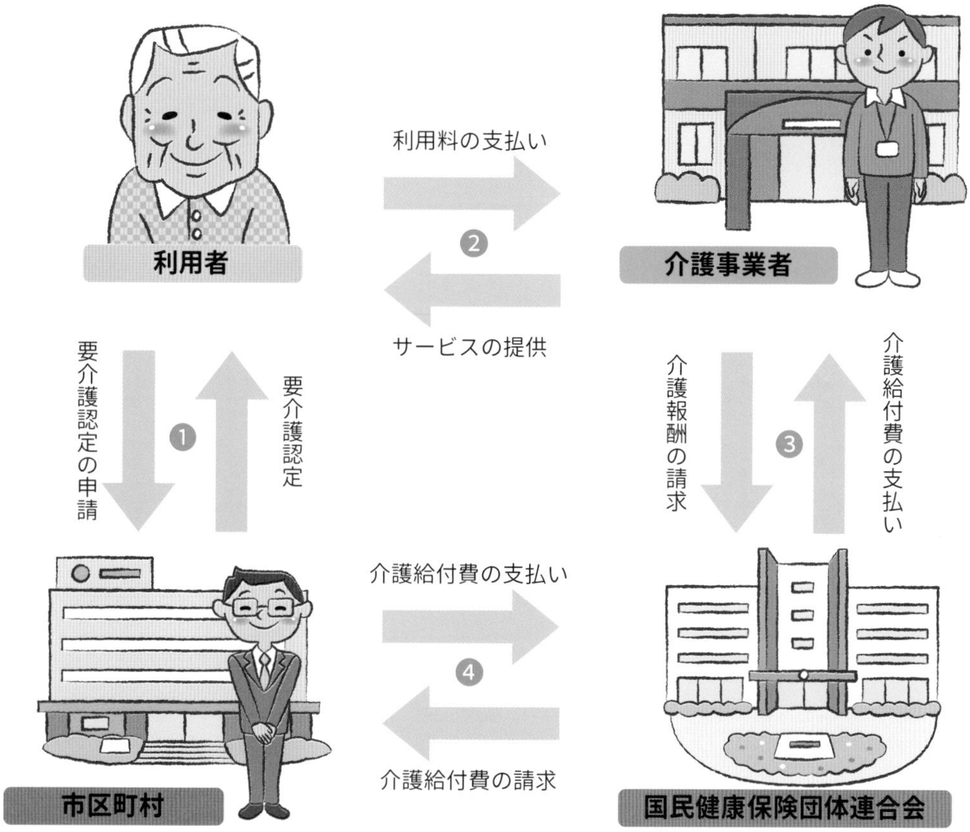

要介護認定の結果通知

認定結果は、申請から1カ月程で、自宅宛てに郵送で届きます

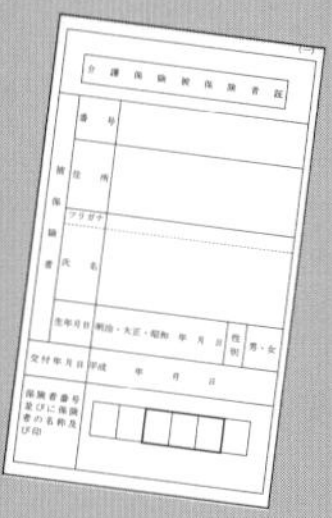

➡ P40

ケアプラン作成

地域包括支援センター（要支援）か居宅介護支援事業所（要介護）で、ケアプランを相談・作成してもらいます

➡ P42

サービスの利用開始

利用したい事業者と契約し、いよいよサービスの利用開始です

➡ P44

費用の支払い

事業者に対して自己負担分の料金を支払います

➡ P46

2 介護サービスの種類

介護保険サービスは、大きく分けて 3 種類あります。ここではまず介護保険サービスには何があるのか、全体像をみてみましょう。

在宅で受けられるサービス

- 在宅生活を送りながら利用できるサービスを、「居宅サービス」と呼びます。
- 自宅でサービスを受ける「訪問サービス」、自宅から出かけてサービスを受ける「通所サービス」、一時的に施設に泊まる「宿泊サービス」があります。

居宅サービス一覧

★は市町村総合事業　△品目に制限あり

サービス名	サービス内容	要支援	要介護	参照ページ
訪問介護	ヘルパーが訪問して介護を行う	★	○	P52
訪問入浴介護	自宅に簡易浴槽を持ち込み入浴介助を行う	○	○	P58
訪問リハビリ	理学療法士、作業療法士、言語聴覚士等が訪問して機能回復訓練を行う	○	○	P62
訪問看護	看護師等が訪問して医療的なケアを行う	○	○	P66
居宅療養管理指導	医師、歯科医師、薬剤師、管理栄養士等が訪問して指導や助言を行う	○	○	P70
通所介護	デイサービスに通い、活動を行う	★	○	P74
通所リハビリ	デイケアに通い、リハビリテーションを行う	○	○	P80
短期入所生活介護	福祉系の施設に短期間入所する	○	○	P84
短期入所療養介護	医療系の施設に短期間入所する	○	○	P90
福祉用具貸与・販売	必要な福祉用具をレンタルや販売する制度	△	○	P94・100
住宅改修	住宅改修工事費の補助を受けられる制度	○	○	P104
特定施設入居者生活介護	特定施設に入居している要介護者に対して介護、療養上の世話、機能訓練等を行う	○	○	P150

地域密着型サービス

- 地域包括ケアシステム（P166参照）を推進するために誕生した介護サービスです。
- 利用者が住み慣れた地域に住み続けられるように、市区町村が監督しながら当該市区町村の地域住民のために介護サービスを行います。

地域密着型サービス一覧

サービス名	サービス内容	要支援	要介護	参照ページ
定期巡回・随時対応型訪問介護看護	1カ月定額制で、24時間体制の訪問介護と訪問看護を行う		○	P110
夜間対応型訪問介護	必要に応じて夜中に訪問介護を行う		○	P116
小規模多機能型居宅介護	デイサービス、ホームヘルプ、ショートステイを随時組み合わせて行う	○	○	P120
看護小規模多機能型居宅介護	小規模多機能型居宅介護で受けられるデイサービス、ホームヘルパー、ショートステイに追加して、訪問看護も行う		○	P126
認知症対応型共同生活介護	認知症のお年寄りが少人数で一緒に暮らす。グループホームとも呼ばれる	△ 要支援2のみ	○	P130
地域密着型通所介護	利用定員18人以下の小規模デイサービス		○	−
認知症対応型通所介護	認知症の人専用のデイサービス	○	○	P77
地域密着型特定施設入居者生活介護	地域住民だけが入所できる、小規模の有料老人ホーム		○	P150
地域密着型介護老人福祉施設入所者生活介護	地域住民だけが入所できる、小規模の介護老人福祉施設（特養）		○	P139

施設サービス

- 在宅で生活を続けることが難しい利用者が入所して受けるサービスを、「施設サービス」と呼びます。
- 現在の日本には、老人ホームなどの入所施設が数えきれないほどあるようにみえますが、介護保険制度で認定される施設は３種類（下表）しかありません。
- 入所の目的によって選ぶ施設が変わりますが、順番待ちの施設も多いので、実際には入れる施設に入るという状況もあります。

施設サービス一覧

サービス名	サービス内容	要介護	参照ページ
介護老人福祉施設 	要介護3以上で、在宅生活が困難な利用者が入所して生活する施設。民間の老人ホームより安価に入所できる。特養、特別養護老人ホームとも呼ばれる	○ 要介護3以上	P136
介護老人保健施設 	病院から退院したものの、自宅で生活するのが困難な利用者が、自宅に戻れるまで回復する期間入所してリハビリや医療が受けられる施設	○	P142
介護医療院 	介護療養型医療施設の入所者の受け入れ先として2018年度から新設された施設。日常的な介護や医療ケアから看取りまでの機能を兼ね備える	○	P148

介護保険外のサービス

- 介護保険サービス以外にも、行政や民間による介護サービスがあります。
- 行政のサービスは、自治体によって内容が違います。無償サービスや安価なサービスが多いので、市区町村の高齢者福祉課などに確認し、必要に応じて利用者に提示できるようにしておくとよいでしょう。

民間企業の主な介護サービス

サービス名	サービス内容
有料老人ホーム	高齢者が暮らしやすいように介護、食事サービス、健康管理などが受けられる居住施設。有料老人ホームに住みながら、介護保険の特定施設入居者生活介護を受けるタイプもある
サービス付き高齢者向け住宅（サ高住）	バリアフリー対応の高齢者向けの賃貸住宅。生活相談員が常駐し、生活支援サービスを受けながら自室で暮らすことができる。サ高住に住みながら、介護保険の特定施設入居者生活介護を受けるタイプもある
家事代行サービス	民間企業が運営し、家事や介護を代行してくれるサービス。介護保険と比べて料金は高いが、選択肢に入れておくと安心

シルバー人材センターや行政が行う主な介護サービス

サービス名	サービス内容
訪問理容・美容サービス	自宅に美容師や理容師が来て整髪する
介護用品の支給や補助	紙おむつや尿取りパッド、歩行杖、認知症高齢者の位置検索サービス、福祉電話の設置、緊急通報システムなど
配食サービス	お弁当や飲み物を届けがてら安否確認をする
認知症高齢者の介護支援	認知症高齢者の見守り支援のボランティアを派遣する
傾聴ボランティア	じっくりと話を聞いてくれるボランティアを派遣する
家事援助	掃除、洗濯、料理、ゴミ出しなどの援助を行う
寝具の手入れサービス	布団の洗濯、消毒、乾燥などを行う
庭の手入れ	除草、庭木の剪定、大工仕事などを行う
雪下ろしや雪かき	作業員を手配したり、助成金を支給

3 介護保険の対象者

介護保険加入者全員が介護保険サービスを受けられるわけではありません。その条件をまとめました。

誰が対象なの？

- 介護保険の対象者は2種類に分かれており、給付対象者や介護保険料の納付方法が異なります。
- そもそも介護保険は医療保険と同じように強制加入で、40歳以上の人は全員介護保険料を支払っています。
- 介護保険の対象者については、当事者であってもよく知らない人が多いので、ケアマネジャー等の相談援助職は明確に説明できるようにしましょう。

名称	第1号被保険者	第2号被保険者
年齢	65歳以上	40歳以上64歳以下 ※医療保険に加入している人のみ。生活保護等で医療保険未加入の人は被保険者の権利が発生しません
保険料の納付機関	市区町村	医療保険加入者は医療保険 国民健康保険加入者は市区町村
納付方法	公的年金が年間18万円以上の場合は年金から自動的に天引き	医療保険加入者は、給料から自動的に天引き
	公的年金が年間18万円に満たない場合は、市区町村から郵送される納付書か、口座振替にて納付	国民健康保険加入者は、前年度の確定申告で算定し、国民健康保険料と一緒に納付
給付対象者	要支援か要介護の認定を受けること	特定疾病が原因で、要支援か要介護に認定された場合

※生活保護受給者で次ページの特定疾病に該当する場合は「みなし2号」となり、介護保険の対象者になります。

第2号被保険者が給付対象となる特定疾病

- 40～64歳の人（第2号被保険者）が介護保険サービスを受けるには、指定されている特定疾病が原因で発生した要介護状態だという認定が必要です。
- もし利用者の中に第2号被保険者がいたら、身体障害者手帳を取得できる可能性があります。介護保険以外にも使えるサービスはないか、積極的に調べましょう。
- 指定されている特定疾病は以下の16種類です。

1	末期がん
2	筋萎縮性側索硬化症
3	後縦靭帯骨化症
4	骨折を伴う骨粗しょう症
5	多系統萎縮症
6	初老期における認知症
7	脊髄小脳変性症
8	脊柱管狭窄症
9	早老症
10	糖尿病性神経障害、糖尿病性腎症および糖尿病性網膜症
11	脳血管疾患（外傷性を除く）
12	進行性核上性麻痺、大脳皮質基底核変性症およびパーキンソン病
13	閉塞性動脈硬化症
14	関節リウマチ
15	慢性閉塞性肺疾患
16	両側の膝関節または股関節に著しい変形を伴う変形性膝関節症

コラム

介護保険証の使い方

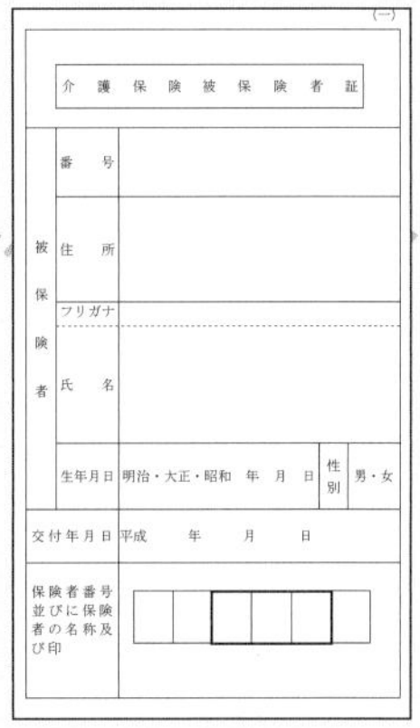

（一）

介護保険被保険者証

被保険者	番号	
	住所	
	フリガナ	
	氏名	
	生年月日	明治・大正・昭和　年　月　日　性別　男・女
交付年月日		平成　年　月　日
保険者番号並びに保険者の名称及び印		

第1号被保険者になる65歳の誕生日が近くなると、市区町村から「介護保険被保険者証」が郵送されてきます。いざ介護が必要になって要介護認定を申請する際に、この介護保険証が必要になるからです。もし紛失してしまった場合、市区町村の窓口で再発行する必要があります。

4 介護保険サービスの利用料金

介護保険サービスを開始するにあたって、利用者が最も気になるのが料金です。目安をイメージできるように、算出方法はシンプルに伝えましょう。

いくらかかるの？

- 介護保険で補助される金額の限度（支給限度基準額）は、要介護度別に決められています。
- ひと月の利用料金が限度額を超えると、超えた分は自己負担になってしまうため、その範囲内でケアプランを立てるのが一般的です。
- 利用料金の計算方法は、サービス内容によって決められている「単位」に、地域ごとの「単価」をかけることで算出できます。

限度額のないサービスこそしっかり説明しよう

「困ったことがあるけれど、これ以上支払えないから我慢しよう」
と利用者があきらめてしまっては危険です。困った時に「あれは使えないのかな？」と気がつくきっかけになりますから、しっかり説明しておきましょう。

<支給限度額が適用されないサービス>

居宅療養管理指導、特定施設入居者生活介護（外部サービス利用型や短期利用を除く）、認知症対応型共同生活介護（短期利用を除く）、地域密着型特定施設入居者生活介護（短期利用を除く）、地域密着型介護老人福祉施設入所者生活介護

<定額制の主なサービス>

小規模多機能型居宅介護、定期巡回・随時対応型訪問介護看護、看護小規模多機能型居宅介護

区分支給限度基準額一覧

要介護度別に決められた、サービス利用額の上限（超えた分は全額自己負担）です。

区分	要支援1	要支援2	要介護1	要介護2	要介護3	要介護4	要介護5
支給限度額（単位）	5,032	10,531	16,765	19,705	27,048	30,938	36,217
自己負担額（1割負担）	5,032円	10,531円	16,765円	19,705円	27,048円	30,938円	36,217円

※1単位10円、1カ月を30日として算出した場合

地域による単価一覧

介護費用の地域格差をなくすために設けられた、介護サービス費用の上乗せ割合。地域ごとの物価や人件費に応じて、金額が設定されています。

地域	1級地	2級地	3級地	4級地	5級地	6級地	7級地	その他
単価	10～11.4円	10～11.12円	10～11.05円	10～10.84円	10～10.70円	10～10.42円	10～10.21円	10円

田中さんの場合（3級地在住・在宅生活・要介護1）

訪問介護

244単位 × 単価（11.05円）
訪問介護で1カ月にかかる総額
21,569円

＋

デイケア

715単位 × 単価（11.05円）
デイケアで1カ月にかかる総額
63,206円

84.775円 × 0.1 ＝ **1カ月の自己負担額 8.478円**

0.1は1割負担の場合　2割負担の人は×0.2
3割負担の人は×0.3

5 地域包括支援センターの役割と機能

高齢者が住み慣れた地域で暮らしていくための総合相談窓口の役割を担う機関です。介護・保健・福祉の専門職が常駐しています。

地域包括支援センターの役割

- 高齢者が住み慣れた土地に住み続けるためには、「介護保険サービスを利用したい」「生活で困ったことがある」など気軽に相談できる窓口が生活圏内にあることが大切です。
- 生活上の課題を受けとめる窓口が地域包括支援センターです。
- 地域包括支援センターは中学校の学区ごとに1つ作ることになっています。

地域包括支援センターにいる専門職

社会福祉士

ソーシャルワーカーと呼ばれ、社会福祉全般の知識をもつ国家資格保持者です。生活の中で困ったことの相談にのってくれます

主任ケアマネジャー

介護支援専門員（ケアマネジャー）の中でも、特別な研修を修了した人だけが名のれる上位資格です。介護分野の知識に精通しています

保健師(看護師)

保健指導の知識をもつ、国家資格保持者です。保健師は地域看護学（看護師は看護学）が専門で、地域住民の健康管理を担います

地域包括支援センターの機能のまとめ

ケアマネジャーも日頃から、地域包括支援センターと連携しておくと何かと便利です。

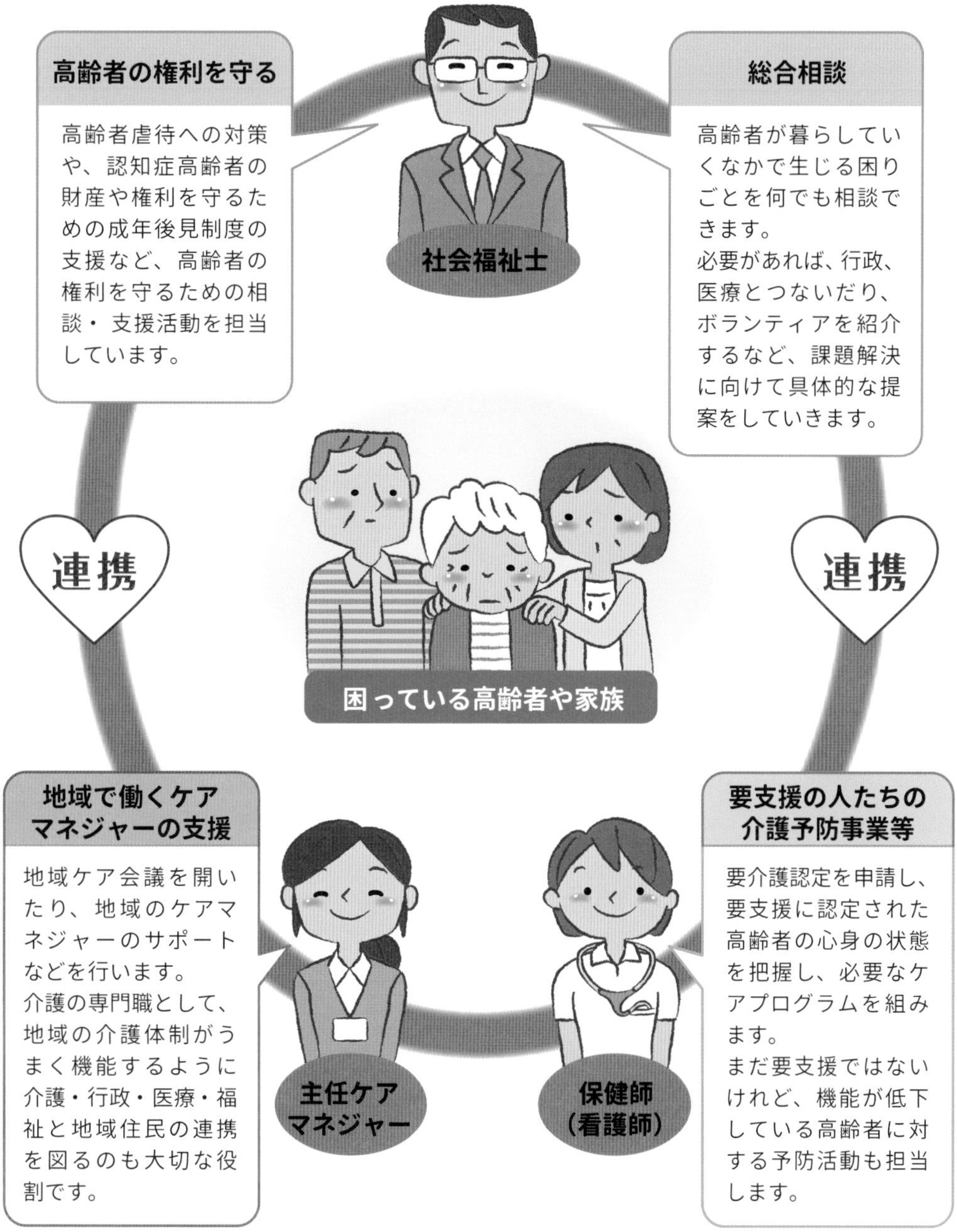

6 地域支援事業

地域支援事業とは、地域で暮らす高齢者のうち、介護保険サービスの対象にならない比較的元気な高齢者に対して市区町村が実施する支援事業です。

地域支援事業の目的と役割

- 地域支援事業の主な目的は、地域で暮らすお年寄りが仲間を作り、活動的に暮らすことで健康を維持することです。
- 要介護状態になったとしても、介護、医療、福祉などの専門職や住民が互いに連携して、高齢者の暮らしを地域で総合的にサポートできるようにします。
- 地域支援事業が担う役割は、大きく分けて3種類あります。

総合事業

高齢者を地域とつなぎ、生活で困っている部分に介護サービスなどを提供する事業です。「介護予防・生活支援サービス」と「一般介護予防事業」があります。

➡ P170「介護給付と総合事業」参照

包括的支援事業

地域包括支援センターを運営し、生活支援コーディネーターを配置するなどにより、高齢者が地域に住み続けるために必要な「地域づくり」を推進しています。

➡ P30「地域包括支援センターの役割と機能」参照

任意事業

市区町村が任意で行う支援事業です。市区町村ごとに、地域の特性を活かして必要なサービスを行う事業で、介護教室の開催、認知症サポーター等養成事業などがあります。

地域支援事業の主な事業内容

地域支援事業の内容は市区町村が独自に設定します。利用者の住む自治体のサービスをよく把握しておくことが大切です。

総合事業		
介護予防・生活支援サービス事業		
訪問型サービス ・訪問介護員が生活援助を行う ・ボランティアが家事を手伝う ・専門家が生活指導をする など	**通所型サービス** ・ミニデイサービス ・住民主体の交流の場 ・専門家の機能向上プログラム など	**生活支援サービス** ・配食サービス ・地域住民のボランティアによる見守り活動 など
ケアマネジメント 介護予防・生活支援サービスを受けるにあたって、ケアマネジャーがケアプラン作成で行うマネジメント	**一般介護予防事業** ・介護予防を目的とした運動 ・体操等の教室を開催 ・住民主体の憩いの場にリハビリの専門家を派遣 ・介護予防の基礎知識を広く宣伝する活動　など	

包括的支援事業	
地域包括支援センターの運営 ・介護予防ケアマネジメントを作成する ・高齢者の総合相談支援業務 ・高齢者の権利擁護業務 ・地域のケアマネジャーの支援 ・地域ケア会議の開催と充実　など	**在宅医療・介護連携の推進** ・診療所や歯科医等による定期的な訪問診療 ・病院と施設で連携し、急な入院の受け入れ ・訪問看護の充実 ・介護サービス事業者は介護を全面的に担い、場合によっては一部医療行為を行う　など
認知症施策の推進 ・認知症初期集中支援チームが自宅を訪問し、アセスメントや家族支援を行う ・認知症地域支援推進員を地域に配置し、医療機関とつなげたり、相談業務を行う など	**生活支援サービスの体制整備** ・生活支援コーディネーターを配置し、地域の中に点在する支え合い活動を推進する ・協議体を開催し、高齢者が活動的に暮らせる地域にするにはどうしたらよいかを検討する など

市区町村の任意事業
・介護給付等費用適正化事業（認定調査状況のチェックや、ケアプランの点検など） ・家族介護支援事業（介護教室や介護者の相談業務、認知症高齢者の見守り事業など） ・その他の事業（成年後見制度の助成や、高齢者宅に生活相談員を派遣するなど）

ケアマネジャーが知っておきたいキーワード

科学的介護

医療分野では、EBM（エビデンス・ベースド・メディスン）という考え方が浸透しています。これはエビデンス（根拠）に基づいた医療のことで、多くの臨床結果を分析したデータを共有し、それらを患者に示すことで最良の医療を提供しようというものです。

介護分野でもエビデンスの必要性が叫ばれるようになり、厚生労働省は「科学的裏付けに基づく介護に係る検討会」において、エビデンス収集の方向性を探ってきました。その成果として、数年間をかけて構築されたのが、LIFE です。

LIFE は、ADL 情報、認知症情報、食事摂取量や口腔情報など、高齢者の状態・ケア内容を直接集めたデータベースとして、科学的介護の要となります。

科学的介護とは、介護分野で積み上げたエビデンスを利用者に示しつつ行われる介護のことで、〈利用者が適切な介護を選択できる〉〈自立支援、重度化防止に役立つ〉〈介護職や事業所の質が向上する〉ことが期待されています。

2024年は、LIFE へのデータ提出頻度を見直したり、項目を統一するなど、より一層 LIFE を活用しやすくするための改正が行われました。これにより、科学的介護が普及・進化することが期待されています。

介護関連データベースの構築

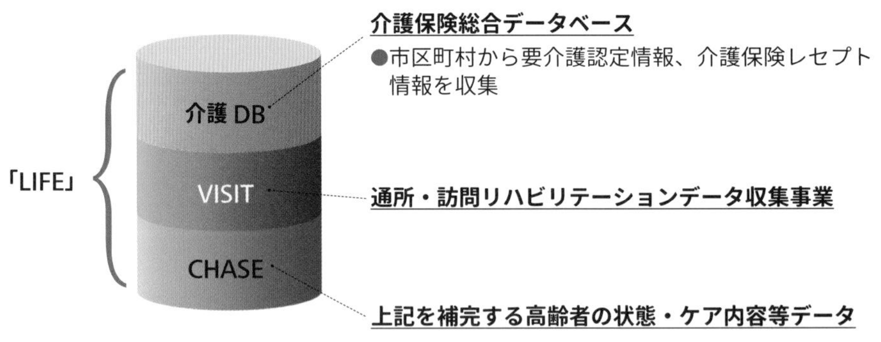

第2章

介護保険の利用方法

介護保険の申請から契約、サービス利用までの流れをみていきます。

特に、利用者の自己負担額の割合は１～３割まで引き上げられています。さまざまな手続きなども利用者にきちんと説明できるようにしましょう。

1 要介護認定の申請

介護保険サービスを利用するための具体的な第一歩となるのが、要介護認定の申請です。申請に必要な情報をまとめました。

申請の方法

介護保険サービスを利用するために最初に行うのは、要介護認定の申請です。申請書は市区町村の窓口や、地域包括支援センターにあります。

申請書がある機関

市区町村の窓口

地域包括支援センター

代理申請が可能な人

本人が入院していたり、申請できる状態にない場合は代理で申請が可能です。

- 家族
- ケアマネジャー
- 民生委員
- 成年後見人

など

ワンポイントアドバイス

緊急の場合は申請後、前倒しでサービスが使える

突然の退院、介護者の急病など、認定結果を待つ時間がない場合、要介護認定の申請後すぐにケアプランを作成し、介護保険サービスを使い始めることができます。要介護認定確定後に、申請した日までさかのぼって1割～3割負担の対象になります。
ただし、支給限度基準額(P29)を超えた分は自費になるので、あらかじめ利用者にきちんと説明しておきましょう。

申請書以外に必要なもの

本人申請の場合

❶ 介護保険被保険者証（右）
❷ 身分証と印鑑
- 医療保険証
- 運転免許証
- 年金手帳　など

❸ マイナンバーがわかるもの
- マイナンバー通知カード
- マイナンバーカード

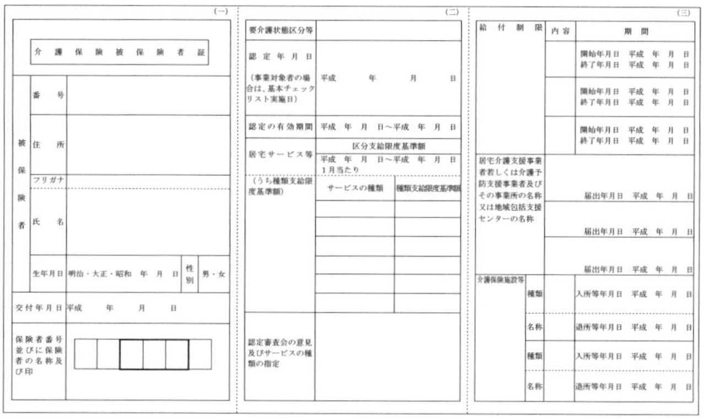

代理申請の場合（上記以外）

- 委任状など、代理権の確認ができるもの
- 代理人の身分証と印鑑

※必要なものは各市区町村によって違うので事前に確認を

申請書の記入方法

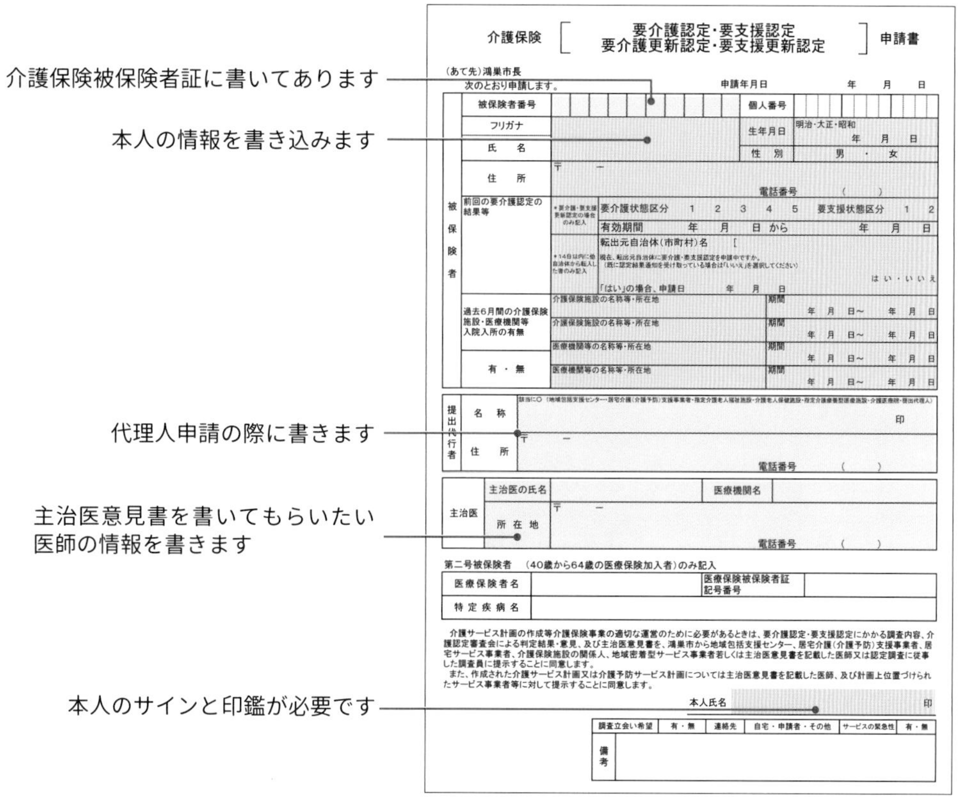

2 認定調査

本人の正確な状態を探るために、認定調査員（ケアマネジャーや市区町村の職員など）が訪問調査に来ます。いったいどんなことを聞かれるのでしょうか。

認定調査とは

- 認定調査に要する時間は、１時間程度です。
- 基本的に質問には本人が答えます。
- 身体機能のチェックの部分では実際に本人に動いてもらって確認することもあります。

認定調査の主な内容

調査項目は全部で 74 項目です。「できる・できない」「ある・ときどきある・ない」などの回答を選ぶ形式で行います。質問項目にないことも、困っていることは遠慮せず調査員に伝えてもらいましょう。

主な項目	調査の具体的な内容
身体機能 （どれくらい動けるか）	麻痺や拘縮があるか、寝返りや起き上がりができるか、座れるか、立って歩けるか、風呂に入れるか、視力、聴力　など
生活機能 （日常の困り具合）	移動はできるか、食事は摂れるか、排泄はできるか、歯磨きや洗顔はできるか、着替えはできるか、外出できるか　など
認知機能 （認知症の有無）	意思を伝えられるか、生年月日が言えるか、自分の名前を言えるか、季節や場所がわかっているか、徘徊があるか　など
精神・行動障害 （BPSD の程度）	被害妄想があるか、感情が安定しているか、同じ話を何度もするか、収集癖など困った行動があるか　など
社会生活 （人間関係など）	薬の管理ができるか、お金の管理ができるか、自分の意思で決定できるか、買い物や調理ができるか　など
過去 14 日間に受けた医療行為	点滴、中心静脈栄養、透析、酸素療法、人工呼吸器、気管切開、経管栄養　など
日常生活の自立度	身体的にどのくらい自立しているか、認知機能はどのくらい自立しているか

主治医意見書とは

認定調査と並行して、主治医意見書を作成します。主治医に対して意見書の作成依頼をするのは、市区町村です。依頼を受けて主治医が市区町村に提出するので、本人や家族にはその内容はわかりません。ですから申請の前後には必ず主治医を受診し、要介護認定の申請をする旨を伝えましょう。生活の何が大変で、どこに困っているかを伝えておくとよいでしょう。

主治医がいない場合は、申請時に市区町村が紹介してくれる病院を受診します。

主治医意見書の主な内容

- 傷病に関する意見
- 特別な医療が必要かどうか
- 心身の状態に関する意見
- 生活機能とサービスに関する意見
- 特記すべき事項

ワンポイントアドバイス

伝えたいことは事前にメモを用意しておこう

認定調査の時は家族にも仕事や予定を調整して、立ち会うようにしてもらいましょう。正確な認定を出すためにも、いつもどおりの生活を見てもらうことが大切です。

認知症の高齢者に多いのですが、訪問調査の際に本人ができないことまで「できます」と言ってしまうことがよくあります。

立ち会った家族も、本人の前で「いえ、できていません」とは言いにくいものです。

ケアマネジャーはそれを見越して、家族に「事前に困っている点をメモでまとめておき、調査員の帰り際にそっと渡すとよいですよ」などとアドバイスしましょう。

3 要介護認定

認定調査の結果、主治医の意見書などをふまえて要介護度が決まります。
要介護認定は、どのように決定されるのかを知りましょう。

認定結果が出るまで

- 要介護認定の申請から１カ月程度で、自宅に結果が届きます。
- 結果は「非該当」や「要支援１」から「要介護５」までの８段階です。
- 認定結果によって、どのサービスをどの程度利用できるのかが変わります。
  要介護認定は、次の2つのステップで行われます。

一次判定（中間結果）

訪問調査員がチェックした認定調査票の結果をもとに、コンピュータが自動的に要介護度を振り分けます。
この段階はまだ中間結果で、変更になることがあります。

二次判定（最終結果）

保険・医療・福祉の専門家が５人程度集まって、介護認定審査会が開かれます。

- 一次判定の結果
- 認定調査票の特記事項に書かれた内容
- 主治医意見書

を参考に総合的に協議する場です。介護にどれだけ時間がかけられているかを基準に、「要介護度」が決定されます。

介護保険被保険者証について

- 結果通知書と一緒に、介護保険被保険者証が同封されています。
- 「要介護度」「認定年月日」「有効期限」「支給限度基準額」など、これから介護を受けるにあたって必要な情報が記入されています。
- 被保険者証はケアプランを立てる際や、サービスを利用する時に必要です。大切に保管しておくよう声がけしましょう。

認定結果と受けられるサービス

認定結果	認定内容	受けられるサービス	参照ページ
非該当	・生活が自立している状態です。介護保険サービスは利用できません。 ・市区町村が運営する総合事業のサービスを受けられます。 ・非該当にも「一般高齢者」と「今後要支援になりそうな高齢者」の2種類があり、後者の場合は要支援と同じサービスを受けられることがあります。	・総合事業 ・介護予防サービス	P33、170、171
要支援1	・ほとんどの日常生活は自立しているものの一部で介助が必要な状態です。	・介護予防サービス ・総合事業	P22～25で使えるサービスをチェック
要支援2	・要支援1よりもう少し多くの介助を必要とする状態です。		
要介護1	・要支援2に加えて、理解力の低下など、介助に、より手間がかかる状態です。	介護保険サービス	P50～157
要介護2	・食事や排泄などの日常生活でも介助が必要な状態です。		
要介護3	・自分で立ち上がることができないなど、日常生活の多くで介助が必要な状態です。		
要介護4	・日常生活全般に介助が必要な状態で、理解力にも問題がある状態です。		
要介護5	・寝たきりなど、日常生活に全面的な介助が必要であったり、理解力が著しく低下した状態です。		

コラム

介護保険被保険者証の転居手続き

介護保険の保険者は市区町村なので、市外に転居した場合はそれまでの被保険者資格が失効することになります。一般的には転出・転入届を出せば切り替え手続きが自動的に行われますが、要支援・要介護認定を受けている人は、事前に転居前の市区町村で「介護保険受給資格証明書」を発行してもらい、介護保険被保険者証を返却する必要があります。

転居先の市区町村窓口に介護保険受給者資格証明書を提出し、新しい市区町村での介護保険証を発行してもらえば、転居手続き完了です。

4 ケアプラン作成

ケアプランとは「居宅サービス計画」のことです。サービス利用の前に作成することが求められるもので、サービス提供の根拠となります。

ケアプランができるまで

- 本人や家族から状況や希望をヒアリングし、ケアマネジャーが原案を作ります。
- 本人・家族を含めた関係者が集まり、サービス担当者会議を開き、原案をもとにして具体的な内容や介護の目指す方向性等を確認し合います。

要支援1・2	**要介護1〜5**
地域包括支援センターに連絡する	居宅介護支援事業者を選ぶ

↓

ケアマネジャーにケアプラン作成を依頼（契約）する

今の状況や今後の希望を伝えて、ケアプランの原案を作成してもらう

↓

サービス担当者会議でケアプランを検討し、決定する

関係者が集まって原案をもとに意見と知識を出し合い、介護の方針を明確にする

アセスメントとケアプラン

ケアプランは、利用者が抱えている課題を把握・分析してから、課題解決に向けた目標をもって作成します。これがアセスメント（課題分析）です。

アセスメント

情報収集
利用者の意向、認定調査票、主治医意見書、アセスメントシート等

↓

整理・分析

↓

課題把握と目標設定

↓

ケアプラン作成へ

ケアプラン(居宅サービス計画書)

名称	内容
第１表 居宅サービス計画書(1)	アセスメントをもとにまとめた利用者・家族の意向や、総合的な援助の方針など
第２表 居宅サービス計画書(2)	利用者の生活課題とそれに伴う長期と短期の目標、具体的な介護サービスの内容など
第３表 週間サービス計画表	介護サービスを組み合わせた1週間の具体的なタイムスケジュール表
第４表 サービス担当者会議の要点	サービス担当者会議の出席者、話し合った内容、結論、残された課題など
第５表 居宅介護支援経過	日付と、介護サービスを行った内容などの経過をまとめる
第６表 サービス利用票	介護サービスを提供する各事業者の情報と、実施計画の月間表
第７表 サービス利用票別表	１カ月の介護サービスを行う事業者ごとの利用数と費用一覧

5 サービスの利用

契約からサービス開始直後の注意点までをまとめました。サービス開始直後はトラブルも多いので、ケアマネジャーは重点的にケアしましょう。

事業者の決定から更新までの流れ

- ケアプランをもとに、利用者が使いたいサービスを提供する事業者と契約を交わします。
- サービスの利用が始まった後もケアマネジャーのフォローアップは続き、定期的に要介護認定の更新も行います。
- 全体の流れは、以下のチャートのとおりです。

① 事業者を選ぶ

職員の雰囲気やケア内容は、事業者によって千差万別です。事業者を選ぶ際は、なるべく本人が見学してから決めましょう

② 重要事項説明

事業者が重要事項説明書を使って、サービス内容や料金、苦情窓口など、利用にあたって大切なことを説明します

③ 契約

事業者が用意した契約書に本人が署名、捺印し、契約が完了します(家族等が代行することもあります)

④ 介護計画書作成

「契約した事業者と、サービス内容」を記載した介護計画書をケアマネジャーが作成して利用者に渡し、間違いがないか確認します

ワンポイントアドバイス

月に１回のモニタリングは大切な業務

利用者本人が選んだ事業者であっても、実際にサービスの利用を開始すると不安なことや困ったことが出てくるものです。問題を早期発見して改善するため、ケアマネジャーには月に１回以上のモニタリング業務（利用者の自宅に伺い、問題がないかを確認する）があります。

サービスを安定的に利用している利用者のモニタリングは、電話で済ませたくなることもあるかもしれません。しかし、次の場合、減算になります。

- 月１回の訪問および利用者に面接のない場合
- モニタリング結果の記録のない状態がひと月以上継続している場合
- 電話、ファックス等によるモニタリングの実施

⑤ サービス利用票作成

ケアマネジャーが翌月の具体的なスケジュールをまとめて、利用者に渡します

⑥ サービス利用開始

6カ月

⑦ 初回・更新認定

初回は既定の半分である６カ月で、要介護認定更新のための調査を行います。
更新認定の申請を行うのは、本人や家族です。ケアマネジャーも助言したり、場合によっては代行します

1年

⑧二回目・更新認定

２回目の更新認定は最長１年以内に行います。その後は、直前の要介護度と同じ要介護度と判定された場合に限り、最大４年以内です。中途半端な時期でも、要介護の区分が実情と合ってないと感じる場合は、いつでも区分変更の申請を行うことができます

6 介護サービス費用の支払い

介護保険サービスで利用者が支払う金額は、非常に複雑に計算されています。利用者が気になるポイントなので、しくみをしっかり理解しておきましょう。

料金の支払い方法

事業者はケアマネジャーが作成する「サービス提供票」をもとに、かかった費用のうち介護保険給付分は国民健康保険団体連合会に、利用者の自己負担分は利用者に請求します。

自己負担割合とは

利用者の自己負担は以下の3パターンです。

- 1割負担
- 2割負担
- 3割負担

要支援・要介護認定を受けた際に交付される「負担割合証」に記載されています。

高額介護サービス費とは

- 高額介護サービス費とは、介護保険サービスで利用者が支払った金額が限度額を超えた場合、申請すれば超過分を払い戻してくれる制度です。
- 限度額は右ページの表のように、所得に応じて決められています。
- 高額介護サービス費には住宅改修費や、要介護区分ごとに定められた限度基準額を超えて支払った自己負担分、福祉用具の購入費用、施設入所した場合の食費、居住費、差額ベッド代などは含まれません。

自己負担割合の決定方法

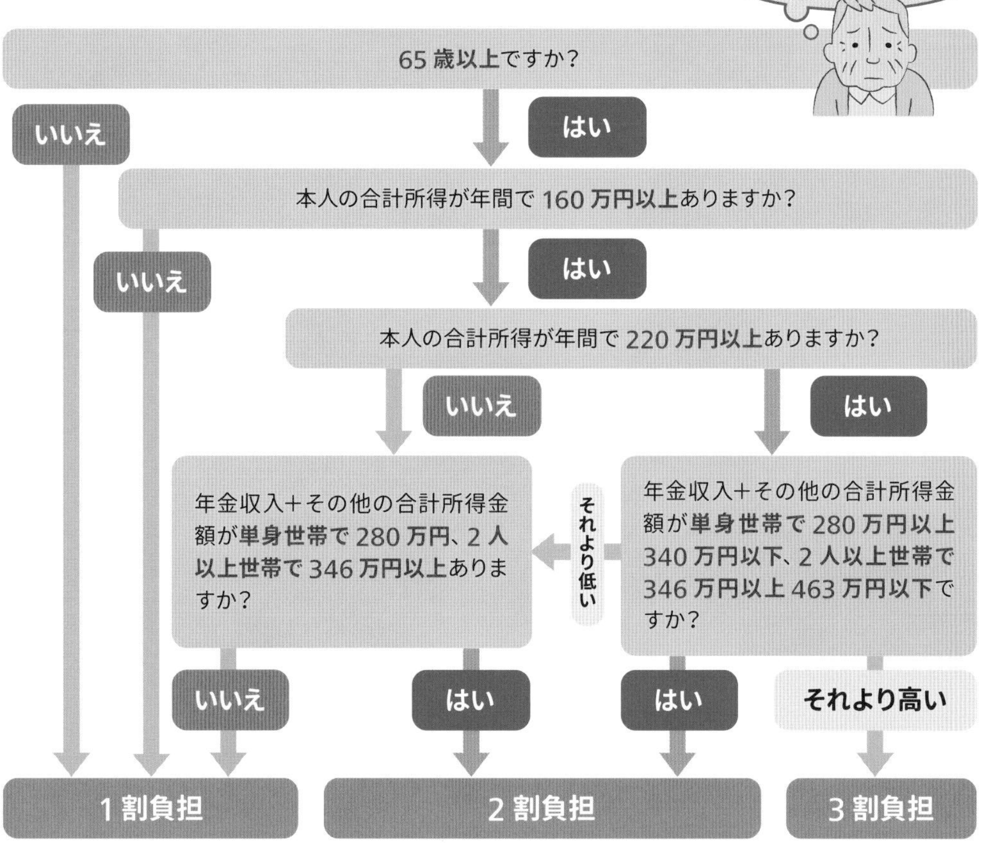

厚生労働省発表資料をもとに作成

高額介護サービス費の負担限度額

対象者	負担の上限(月額)
現役並みの所得の人がいる世帯	① 年収約383万～約770万円 **44,400円(世帯)**
	② 年収約770万～約1,160万円 **93,000円(世帯)**
	③ 年収約1,160万円以上 **140,100円(世帯)**
世帯の誰かが、住民税を課税されている	**44,400円(世帯)** ※ただし、同じ世帯の65歳以上の人全員が利用者負担1割の場合、年間上限額は446,400円
世帯の全員が、住民税を課税されていない	**24,600円(世帯)**
前年の所得の合計と、公的年金の合計が年間で80万円以下の人	**24,600円(世帯)** **15,000円(個人)**
生活保護の受給者	**15,000円(個人)**

ケアマネジャーが知っておきたいキーワード

BCP

BCPは、業務（または事業）継続計画のことです。内閣府の「事業継続ガイドライン―あらゆる危機的事象を乗り越えるための戦略と対応―」によると、BCPにおいて重要な取り組みには、

- 各担当者を決めておくこと
- 連絡先を整理しておくこと
- 必要な物資を整理しておくこと
- 上記を組織で共有すること
- 定期的に見直し、必要に応じて研修・訓練を行うこと

などがあるとされています。

2024年改正では、業務継続計画未策定事業所に対する減算が導入されることになりました。感染症、もしくは災害のいずれか、または両方の業務継続計画が策定されていない場合は、減算されてしまいます。

厚生労働省は「BCPは、作成後も継続的な検討・修正を繰り返すことで各施設・事業所の状況に即した内容へと発展させていくことが望ましい」と述べています。今回の改正でまずはBCPの作成を促し、それを運用していくことで災害時への対応を強化することが狙いといえます。

第3章

介護保険のサービスと使い方

介護保険サービスを、
「居宅サービス」「地域密着型サービス」
「施設サービス」に分けて解説します。

各サービスの最後にある、
「ご利用者・家族向けのページ」は、
ご本人に説明する際に
お使いください。

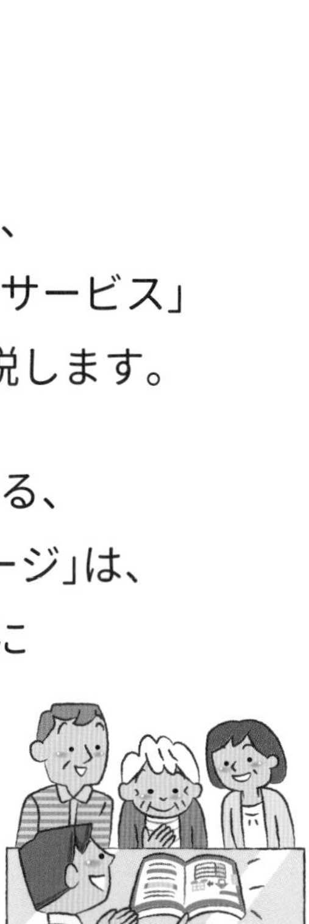

居宅介護支援

ケアプランの作成とケアマネジャーへの依頼

介護保険サービスを依頼するには、ケアプランが必要です。自分で作成することもできますが、多くの場合ケアマネジャーに依頼します。

ケアプラン作成の流れ

1. 状態の調査と分析（アセスメント）

- ご本人の状態を調査・分析して、どのような暮らしを目標とし、そのためにどんな介護支援が必要かを考えます。
- 初めて介護保険認定を受ける時や、ご本人の状態に変化があったタイミングで行われます。

2. 具体的なサービス計画を作成

- ご本人に必要なサービスを選択し、各サービス事業所と調整して具体的なケアプラン（居宅サービス計画）を作ります。

3. 実施状況の把握（モニタリング）

- 1で立てたご本人の生活目標が達成されるように各サービスが適切に実施されているかを調査します。
- ご本人の状態が変われば1に戻り再度アセスメント、サービスがうまく支援に結びついていなければ2に戻り計画を再度作成するなど、ケアプランを適宜更新します。

いくらかかる？

ケアプラン作成	0円

利用者負担はありません。

ケアマネジャーとはどんな人？

- アセスメントをし、ケアプランを作成する
- 少なくとも月１回は利用者宅を訪問してモニタリングする
- 適宜サービス事業所と調整し、サービス担当者会議を開く
- サービスの保険点数と利用者負担額を計算・管理して、保険給付に関する書類を市区町村に提出する　など

ケアマネジャーに依頼するポイント

どうさがす？

市区町村でもらえる居宅介護支援事業所のリストを参考にして、複数の事業所に尋ねてみましょう。

ケアマネジャーを選ぶ際の留意点

- 本人と事業所との距離が近い
- ご利用者の望むサービスに強みがある（例：事業所が病院に併設、ケアマネジャーの前職が介護福祉士　など）
- 地元での評判がよい（先に介護を始めている経験者などに尋ねる）

何を伝える？

ケアマネジャーには、こんな情報を伝えましょう。

- ご本人の心身について（以前と現在の状況はそれぞれどんな様子か）
- 今後どうしていきたいか
- ご本人はどんな人生を歩んできたのか
- ご家族はどのように暮らしているのか
- １カ月の介護に使える予算

それらをふまえて、ケアマネジャーが具体的なサービスを提案します。

1 訪問介護（ホームヘルプサービス）

居宅サービス

居宅サービスの中心となるサービス。
自宅で自立した生活を送るのに欠かせない。

対象▶ 要介護 1 2 3 4 5 要支援 1 2（市町村総合事業）

どんなサービス？

介護福祉士や介護職員初任者研修などを受講し資格をもつ訪問介護員（ホームヘルパー）が、利用者の自宅を訪問し、身体介護や生活援助のサービスを行います。

身体介護

食事介助・排泄介助・入浴介助・移乗介助・体位変換・口腔洗浄などの基本的な生活において、直接利用者に対して支援や介助をするものです。

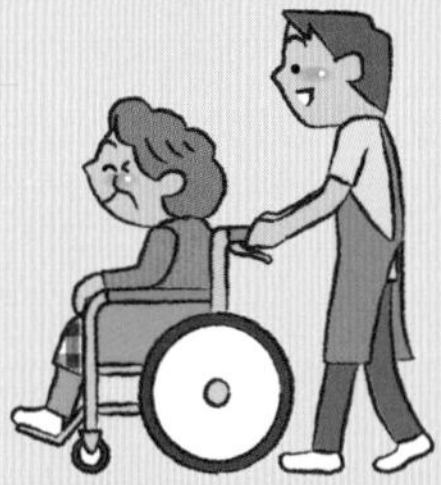

生活援助

調理・掃除・洗濯・ゴミ出しなど、利用者の生活環境を整備したり、生活が整うように支援するサービスです。
本来同居家族が行える内容のため、以下のいずれかの場合に算定できます。

- **利用者が一人暮らしの場合**
- **同居家族が障害や疾病、高齢や介護疲れ、仕事による不在などの理由により、家事を行うことが困難で日常生活に支障をきたす場合**

市町村の総合事業や独自サービス等で依頼できる場合もあります（P33、170）。

通院等乗降介助

介護タクシーで、訪問介護員の資格をもつ運転手が利用者を介助し、病院での受診手続などを行うもので、行き帰りそれぞれで算定されます。身体介護でも算定できるため、どちらの援助で利用するかを検討する必要があります。

単位表

内容	時間	単位
身体介護中心型	20分未満	163
	20分以上30分未満	244
	30分以上1時間未満	387
	1時間以上1時間30分未満	567
	以降30分を増すごとに	82
	引き続き生活援助を行った場合の加算（70分を限度として25分ごと）	65
生活援助中心型	20分以上45分未満	179
	45分以上	220
通院等乗降介助		97

加算 特別地域訪問介護加算／中山間地域等に居住する者へのサービス提供加算／特定事業所加算／介護職処遇改善加算（Ⅰ～Ⅴ）／介護職員等特定処遇改善加算／緊急時訪問加算／夜間・早朝・深夜加算／生活機能向上連携加算／認知症専門ケア加算／口腔連携強化加算（新設）など。

減算 高齢者虐待防止措置未実施減算（新設）／業務継続計画未策定減算（新設）

○同一建物居住者にサービスを提供した場合の減算

同一建物等の居住者に訪問介護サービスを提供する場合、以下の❶❸は10%、❷は15%の減算が行われます。

区分支給限度基準額の計算では、減算前の数を使用します。

❶	事業所と同一敷地内または隣接する敷地内に所在する建物に居住する者（❷に該当する場合を除く）
❷	上記の建物のうち、当該建物に居住する利用者の人数が1カ月あたり50人以上の場合
❸	上記❶以外の範囲に所在する建物に居住する者（当該建物に居住する利用者の人数が1カ月あたり20人以上の場合）

生活援助に該当しない行為

介護保険上の生活援助は家事代行サービスではないため、家事であってもできないことが多くあります。利用者や家族の希望が以下にあたらないか確認が必要です。

「本人にかかわる」範囲を超える場合

- 利用者以外のための調理・洗濯・買い物など
- 家族と共用の自家用車の洗車・清掃
- 「主に利用者が使用する居室」以外の掃除（トイレ・浴室など共用部分は独居なら可能）
- 来客の応接　など

「日常生活」の範囲を超える場合

- 部屋の模様替えや大掃除（窓ガラス拭き・家屋の修理など）
- 家具の修繕
- 正月・節句などの特別な料理の調理　など

訪問介護員が行わなくても「日常生活」に支障がない場合

- 庭の草むしり
- 花木へ
- 水やり
- ペットの散歩

など

ワンポイントアドバイス

訪問介護でできる「自立支援」とは

訪問介護の「見守り支援」は身体介護として算定してよいことになっています。ただし、単に傍で見ていればいいというものではなく、本人が自立できるように、専門的な視点で支援することが必要です。利用者・事業所と連携して本人の能力を引き出し、自信をつけることを目指す支援を計画しましょう。

例 入浴に不安がある利用者に浴槽への安全な出入りのしかたを伝える
➡徐々に自分1人でできるようになる➡不安も解消される

例 認知症でも、ヘルパーが地図を作り決まった店への道を一緒に歩く
➡1人で買い物ができるようになる

訪問介護でできる医療ケア

医療行為は、医師法等で医師や看護師が行うものと定められています。

訪問介護員は医療行為をすることはできませんが、医療的ケアは行うことができます(要介護者に異常がみられない場合に限ります)。

- 体温の測定
- 口腔ケア
- 耳垢の除去
- 浣腸（市販のディスポーザブルグリセリン浣腸器によるもの）
- 切り傷、擦り傷、やけどなどの処置（軽微なもの）
- 自己導尿補助のためのカテーテルの準備や体位の保持
- 血圧の測定（自動血圧計測定器によるもの）
- 動脈血酸素飽和度の測定（パルスオキシメーターによるもの）
- 汚物で汚れたガーゼの交換
- ストマ装具のパウチにたまった排泄物の処理（肌に接着したパウチの取り換えを除く）
- 爪切りややすりがけ（爪や周囲の皮膚に異常がある場合を除く）

2024改正 訪問介護と歯科との連携強化

「通院時情報連携加算について、利用者が歯科医師の診察を受ける際に介護支援専門員が同席した場合も同加算の対象とする見直しを行う」と改正されました。これまでは病院だけが対象だったこの加算が、歯科医療でも使えるようになりました。

訪問介護の利用者が病院だけでなく、歯科医療で診察を受けるときにも、

- 介護支援専門員が同席し、利用者の心身の状況や生活環境等について説明する
- 医師や歯科医師等からその利用者に関する必要な情報の説明を受ける
- 医師や歯科医師等から受けた説明を居宅サービス計画に記録する

上記の３点を行った場合、利用者１人につき１月に１回を限度として加算することができるようになりました。

この改正によって、訪問介護と歯科との連携を強化することが期待されています。

ご利用者・家族へ よくわかるサービス解説

訪問介護（ホームヘルプサービス）

ヘルパーが訪問し生活を支援

訪問介護員（ホームヘルパー）が自宅に来て、ご本人の暮らしに必要な活動を支援したり、生活環境を整えたりします。

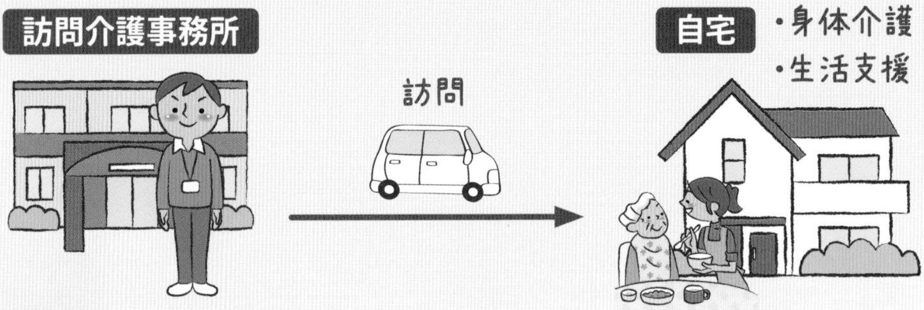

特徴 直接自宅に来てもらい、支援を受けることができます。

- ご本人に関する支援はできるが、ご家族への支援はできない
- 身体介護・生活援助で料金が変わる
- 介護タクシー等で通院し、乗務員が介助した場合もこのサービス

いくらかかる？

要介護の場合

内容	時間	1回あたりの金額
身体介護中心のサービス 	20分未満	163円
	20分以上30分未満	244円
	30分以上1時間未満	387円
	1時間以上1時間30分未満	567円
	以降30分ごとに	567円＋82円ずつ
生活援助中心のサービス 	20分以上45分未満	179円
	45分以上	220円
通院等乗降介助		97円
身体介護中心サービスに引き続き生活援助サービスを行った場合	25分ごとに（70分が限度）	身体介護料金＋65円ずつ

要支援の場合

市町村総合事業で介護予防訪問介護を利用できます。自治体により内容も料金体系も異なるので確認してください。

サービス利用のポイント

身体介護・生活援助とは

● 身体介護

ご本人に直接関わり行います。ご本人の作業を見守る支援も含まれます。

例

食事介助	食事の支援
入浴介助	全身または部分的な洗浄
清拭	体を拭いて清潔にする
排泄介助	トイレ介助やおむつ交換
歩行介助	本人の自力歩行の介助
更衣介助	着替えの介助
体位変換	床ずれ予防のための姿勢交換
移乗介助	ベッドから車いすへの移乗介助
自立支援	本人が行う動作・行為の見守りと支援

● 生活援助

ご本人の住環境の整備を行います。

例

掃除	本人の居室の掃除、ゴミ出し
洗濯	衣類を洗う、干す、たたむ、整理
食事準備	食材の買い物、調理、配膳、片づけ

● 通院等乗降介助

介護タクシーで病院等の送迎と、乗降時の介助を行います。対象となる移動は行きと帰りで、居宅が始点または終点となる場合には目的地間の送迎も対象となります。

✖ 介護保険の訪問介護で依頼できないこと

● 直接ご本人の援助にならない行為

・ご本人が使用する部屋以外の清掃

・ご本人以外のための洗濯・調理・買物など

● 日常生活の範囲を超える行為

・正月料理や大そうじなどの特別な家事

● 行わなくても日常生活に支障のない行為

・ペットの散歩など

2 訪問入浴介護

居宅サービス

主治医の入浴許可のもと、自宅で入浴することをかなえるサービスです。

対象▶ 要介護 1 2 3 4 5 要支援 1 2

どんなサービス？

入浴が困難な人などの自宅に簡易浴槽を持ち込み、入浴してもらうサービスです。清潔の維持、褥瘡の予防や改善、体調のチェック、気分転換などの効果があります。

訪問入浴介護の利用条件

- 通常看護職員1人と介護職員2人の3人体制で行われる（要支援の場合、看護職員1人と介護職員1人の2人体制）
- 利用者の体調が安定している場合は、主治医了承のもと、介護職員3人で対応する場合もあるが、報酬点数は減算される
- 要支援は、自宅に浴室がない、または感染症などの疾患のため施設の浴室が使えない場合に限られる

訪問入浴介護の前に検討すべきサービス

- 外出できる場合は、通所介護の入浴サービスを設定する
- 外出が難しい場合は、自宅の浴室を福祉用具等で環境を整える。訪問介護を利用する
- 訪問看護と訪問介護を組み合わせて対応するなど

必要な自宅の環境条件

以下のような環境がないと、訪問入浴介護の実施が難しいことがあります。

- 自宅周辺に1時間程度停車できるスペースがある（公道でも、訪問入浴中の旨を明示すれば停車可能なことがある）
- ホースを引き込み、自宅内の水道に接続して、給水できる
- 浴槽から自宅内の排水口にホースを接続し、排水できる

（P60参照）

単位表

内容	時間	単位
介護予防訪問入浴介護	看護職員１人＋介護職員１人	856
	上記で対応し、清拭または部分浴をした場合	770
	介護職員２人	813
訪問入浴介護	看護職員１人＋介護職員２人	1,266
	上記で対応し、清拭または部分浴をした場合	1,139
	介護職員３人	1,202

加算 初回加算
認知症専門ケア加算／看取り連携体制加算（新設）

減算 高齢者虐待防止措置未実施減算（新設）／業務継続計画未策定減算（新設）／同一建物等居住者にサービス提供する場合など。

サービス提供の流れ

契約もしくは実施前

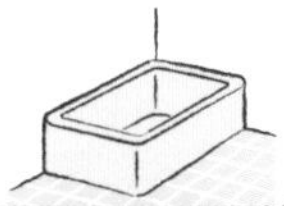

事業所に入浴する居室を見てもらう

多くの場合は自宅に浴槽を持ち込む2畳ほどのスペースが必要なため、事前にサービス事業所が利用者宅に訪問し、確認を行う。

↓

（契約）

↓

実施当日

看護職員が血圧・脈拍・体温を測定し、体調を確認

この時点で体調が優れないと判断された場合は、入浴時間を短くしたり、部分浴や清拭に切り替えたりすることもある。

↓

看護職員・介護職員で入浴を実施
入浴時間は通常 10 分前後

↓

入浴後、着替えの介助、水分補給

↓

看護職員がバイタルチェック

体調に変化がないかなどアフターケアが行われる。

○訪問入浴介護の上乗せサービス

訪問入浴介護を利用していて、支給限度額いっぱいになった人に、１～２回／月の訪問入浴介護を上乗せするサービス（P158 参照）をしている市町村もあります。確認しておきましょう。

ご利用者・家族へ よくわかるサービス解説

訪問入浴介護

専用の浴槽を使って自宅で入浴

家でお風呂に入れてあげたいが、身体や環境的な問題から入浴が難しい時に利用できます。医師の許可が必要です。

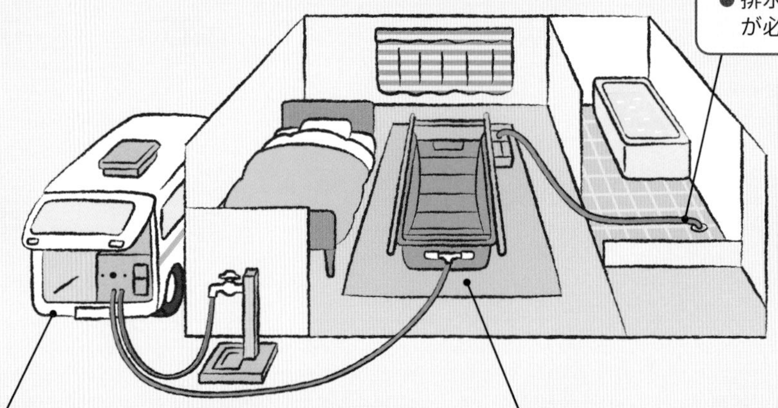

特徴 訪問入浴車両で浴槽を搬入し、自宅で入浴を実施します。

- 通常はスタッフ3人（要支援の場合は2人）で対応
- うち看護職員が1人つくことが多く、体調チェックをしてくれる
- 事前確認で体調不良がわかれば、部分浴や身体を拭く介助に変更できる

いくらかかる？

看護職員1人＋介護職員2人のスタッフ3人体制、約2時間の入浴実施1回の場合

自己負担割合1割の場合	1,266円が基本（加算がつけば＋数百円）
部分浴や身体を拭く介助になった場合	1,134円が基本（加算がつけば＋数百円）

サービス利用のポイント

訪問入浴介護を受ける条件

- 自宅浴室で入浴できない人
- デイサービスに行けない、またはデイサービスの入浴に抵抗を感じる人
- 状態が安定していて、かかりつけ医の入浴許可書が出ている人

要支援の場合に必要な条件

- 自宅に浴室がない人
- 感染症などの疾患があり、デイサービス等施設の浴室が使えない人

メリット

- 自宅で入浴することができる
- 寝たきりの人にとっては、全身の清潔保持だけでなく、療養生活のリフレッシュとなる
- 看護職員による定期的な全身・体調チェックが行われる

デメリット

- ×浴槽の共用に抵抗を感じる人もいる
- ×入浴による体調変化の可能性は排除できない
- ×看護職員がいても、痰の吸引などの医療行為は原則的にできない（湿布の貼り替え、軟膏の塗布などは可能）

訪問入浴介護で準備しておく物品

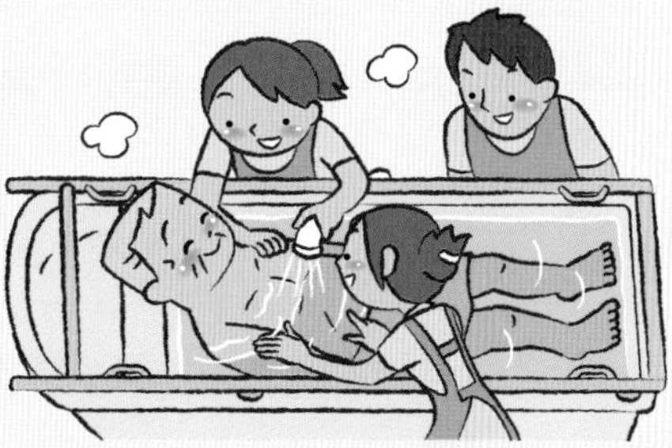

- タオル
- バスタオル
- 石鹸
- シャンプー・リンス等
- 入浴後の着替え
- （入浴後の保湿ケアなどに）化粧水・ローション等
- （対応可能であれば）爪切り、ひげそり用カミソリ等
- （入浴中にベッドのシーツ交換を行う場合）替えのシーツ・枕カバー等

3 訪問リハビリテーション

居宅サービス

在宅生活の自立のために自宅内でリハビリを
受けられるサービス。

対象▶ 要介護 1 2 3 4 5 要支援 1 2

どんなサービス？

本人の状態が比較的安定していて、主治医が自宅でのリハビリテーションが必要と判断した場合に、主治医の指示書に基づいて行われます。必要に応じて理学療法士、作業療法士、言語聴覚士などのリハビリテーション専門職が訪問します。

訪問リハビリの主な内容

- 病状観察：バイタルチェックや現在の状況に関する確認、助言など
- 身体機能の改善：トレーニングによる身体機能の維持や改善など
- 日常生活の指導：福祉用具の使用方法、QOL の向上のための指導など
- 介護相談：家族への介助方法の指導、療養生活上の相談など

退院後の短期集中リハビリテーション

退院直後にリハビリテーションの必要がある場合、以下の条件で訪問リハビリを受けることができます。

条件	● **退院後３カ月以内は、週２日以上、1日40分以上**
	● **週６回を限度とする訪問リハについて、退院日から３カ月以内は週12回まで算定できる**

その間は、短期集中リハビリテーション実施加算が加算されます。在宅生活の環境にスムーズに慣れるために活用しましょう。

単位表

基本は1回20分です。しかし実際は40分程度の時間がかかることが多く、その場合一度の利用で2回分の利用料金が必要となります。基本的に、訪問する専門職の病院・診療所・老健等の所属は問いません。

時間	単位
20分未満	308
事業所と同一建物の利用者、またはこれ以外の同一建物の利用者20人以上にサービスを行う場合	277

加算 特別地域加算／中山間地域等に居住する者へのサービス提供加算／短期集中リハ加算／訪問リハマネジメント加算（Aイ・ロ／Bイ・ロ）／社会参加支援加算／サービス提供体制加算／認知症短期集中リハビリテーション実施加算（新設）／口腔連携強化加算（新設）／退院時共同指導加算（新設）など。

減算 事業所の医師がリハビリテーション計画の作成にかかる診療を行わなかった場合／高齢者虐待防止措置未実施減算（新設）／業務継続計画未策定減算（新設）など。

通所リハと訪問リハどちらを選ぶ？

ワンポイントアドバイス

介護保険のリハビリテーションは、通所によるものが基本ですが、通所リハビリテーションは送迎がないこともあり、通うのが難しい場合には、訪問リハビリテーションを選択します。

自宅内での具体的な日常生活動作のリハビリテーションが必要な場合にも、訪問リハビリテーションの選択が適切といえます。

2024改正 退院後のリハビリテーションと医療機関の連携強化

2024年改正で「退院時共同指導加算」が新設されました。

これは、病院に入院中の利用者が退院する際に、訪問リハビリテーション事業所の専門職（医師、理学療法士、作業療法士、言語聴覚士）が病院と以下の連携を行うことで適用されます。

- 退院時に病院で開かれる退院前カンファレンスに参加する
- 退院前カンファレンスにて、病院の医師や専門職と、利用者の状況等を共有する
- 利用者や家族に、病院と共同で在宅でのリハビリテーションに必要な指導をする
- その内容を在宅での訪問リハビリテーション計画に反映させる
- 実際にその利用者に訪問リハビリテーションを実施する

こうした加算を新設することで、退院前から病院との連携を強め、在宅生活をスタートしやすくすることがねらいです。

訪問リハビリテーション

専門職が訪問しリハビリを提供

医師の指示により、リハビリテーションが必要な人の自宅を専門職が訪問し、自宅環境に応じたリハビリや介助・支援の具体的なアドバイスを行います。

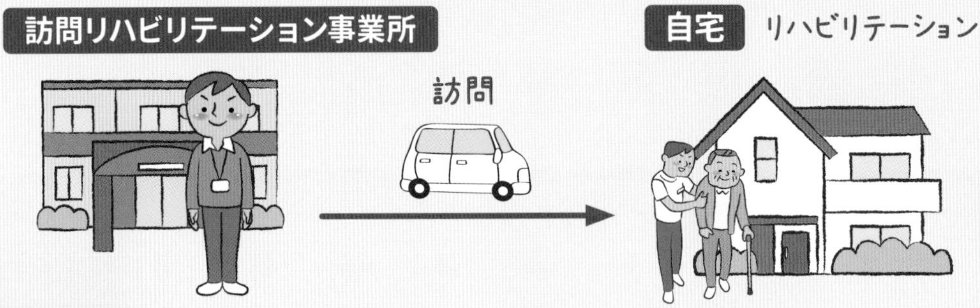

特徴 リハビリ専門職が訪問し、医師の指示書に基づきリハビリを行います。

- かかりつけ病院のリハビリ専門職が対応してくれる
- 自宅環境に合わせた動作等のリハビリをしてくれる
- ご家族に支援やリハビリの方法の指導もしてくれる

いくらかかる？

回数	時間	料金
1回	20分	308円
2回	40分	616円

- これに加算などが加わった金額になります。

条件	入院していた病院、またはかかりつけ医のいる病院に訪問リハビリテーション事業所がある時のみ利用できる

スタッフ

以下のようなリハビリテーションの専門職が事業所にいます。

理学療法士（PT）	日常生活を送るために必要な基本的運動を中心に、筋肉や関節を動かしたり強化したりして、身体の機能の維持・回復を図る
作業療法士（OT）	入浴や食事といった日常生活上の動作のサポートのほか、手先を使った手工芸・園芸などの生活全般の活動が自身でうまくできるようサポートする
言語聴覚士（ST）	話す、聞く、発音コミュニケーションに関わる機能を回復させるほか、噛む、飲み込むなど食べる機能回復のサポートも行う

サービス利用のポイント

訪問リハビリテーションで行うリハビリテーション例

●ストレッチ・関節の運動

・関節が動く範囲を狭めないための運動

●自宅内の日常動作の練習

・ベッドからの起き上がり

・福祉用具を使った安全な浴槽の出入り

●歩行訓練

・自宅およびその付近の安全な移動

●飲み込みの練習

・肺炎を予防するための訓練

●会話の練習

・なめらかに話すための訓練

メリット

◎ご家族やヘルパーによる効果的なリハビリのやり方を教えてもらえる
◎自宅内やその付近での安全な移動や生活の仕方を教えてもらえる
◎ベッドから車いす、車いすからトイレ等の移乗の方法を教えてもらえる
◎ご本人に最適な福祉用具の提案をしてもらえる
◎自宅内の危険箇所の指摘と改善のアドバイスをもらえる　など

4 訪問看護

在宅で医療的な処置が必要な利用者には欠かせないサービス。

対象▶ 要介護 1 2 3 4 5 要支援 1 2

どんなサービス?

医師の指示のもと、看護師（准看護師）、保健師、理学療法士、作業療法士、言語聴覚士が利用者の自宅を訪問して、看護・医療ケアや療養生活の支援を行います。医師の交付する「訪問看護指示書」（1～6カ月有効）が必要です。退院当日から利用できます。

支援内容

● **治療の補助**	褥瘡の処置、痰の吸引、経管栄養の実施、点滴管理　など
● **状態観察**	バイタルチェック、持病の悪化・再発予防などのための処置・アドバイス
● **栄養管理**	栄養障害や脱水を防ぐため、食生活・形態、食事介助の方法などのアドバイス
● **衛生面のケア**	入浴介助、清拭、排泄などの介助
● **リハビリテーション**	歩行や嚥下機能などの訓練実施や、方法などのアドバイス

料金体系

訪問する看護職員の所属する事業所が、医療機関（病院・診療所）併設か、単独の訪問看護ステーションかにより単価が変わります。

単位表

訪問看護師の所属	時間	訪問看護（単位）	介護予防訪問看護（単位）
指定訪問看護ステーション	20分未満	314	303
	30分未満	471	451
	30分以上1時間未満	823	794
	1時間以上1時間30分未満	1,128	1,090
	理学療法士、作業療法士、言語聴覚士の場合	294※	284
病院または診療所	20分未満	266	256
	30分未満	399	382
	30分以上1時間未満	574	553
	1時間以上1時間30分未満	844	814

※1日3回以上の場合は90/100

加算 初回加算／退院時共同指導加算／看護・介護職員連携強化加算／長時間訪問看護加算／特別地域訪問看護加算／中山間地域等に居住する者へのサービス提供加算／看護体制強化加算／特別管理加算／緊急時訪問加算／ターミナルケア加算／夜間・早朝・深夜加算／専門管理加算（新設）／遠隔死亡診断補助加算（新設）など。

減算 同一建物等居住者にサービス提供する場合の報酬／高齢者虐待防止措置未実施減算（新設）／業務継続計画未策定減算（新設）。

ワンポイントアドバイス

頻回な訪問が必要なら、定期巡回・随時対応型訪問介護看護の検討も

1回30分程度の頻回な訪問が必要な場合は、訪問看護だと利用料が高額になってしまうことがあります。この場合、定期巡回・随時対応型訪問介護看護を選択することも考慮しましょう。
ただし、定期巡回・随時対応型訪問介護看護は利用料が月額で固定となるため、利用する回数が少なくなると、結果として割高になる可能性もあります。

訪問看護

看護職員が訪問し、医療ケアを提供

医師の指示により、ご本人の自宅を看護職員が訪問し、医療処置や状態観察、リハビリテーションなど、療養生活の支援を行います。

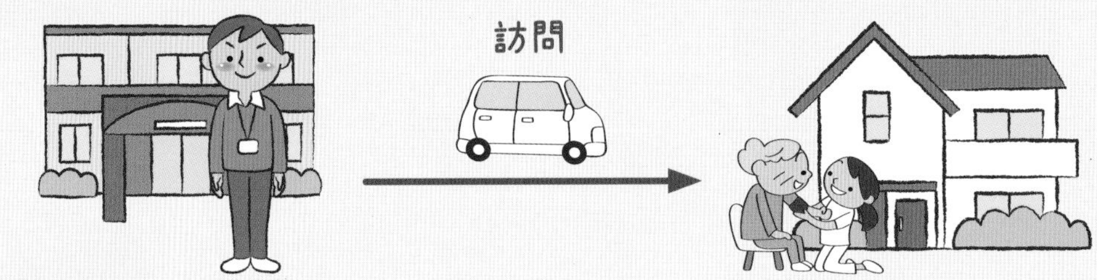

特徴 看護職員が自宅を訪問し、医師の指示に基づいて医療ケアを行います。

- 医師の訪問診療よりも安く、回数も多く依頼できる
- 終末期の在宅看取りに対応している場合も多い
- 歩行や嚥下などのリハビリテーションにも対応できる

いくらかかる?

訪問時間と、医療機関（病院・診療所）から来るか、独立型の訪問看護ステーションから来るかで値段が変わります。

看護職員以外が訪問する場合も値段が異なります。

独立型の訪問看護ステーション

内容	金額
20分未満	314円
30分未満	471円
30分以上1時間未満	823円
1時間以上1時間30分未満	1,128円
理学療法士、作業療法士、言語聴覚士の場合	294円

病院・診療所併設の訪問看護ステーション

内容	金額
20分未満	266円
30分未満	399円
30分以上1時間未満	574円
1時間以上1時間30分未満	844円

上記の金額以外にも加算が付くことが多くあるため、確認が必要です。

サービス利用のポイント

訪問看護でできる医療行為・処置の例（事業所により対応できる内容は異なります）

- 人工肛門の処置、膀胱留置カテーテルの処置、膀胱ろうの処置、腎ろうの処置
- 経管栄養の処置、胃ろうの処置
- 床ずれの処置、傷の処置、軟膏を塗る
- 点滴、注射、中心静脈栄養（IVH・TPN）
- 気管カニューレ、吸引、吸入、人工呼吸器、在宅酸素
- インスリン注射
- 腹膜透析（CAPD）　など

訪問看護によるリハビリテーション・自立支援

以下の場合は、訪問看護のリハビリテーションを受けられます。

- 退院後もリハビリテーションが必要
- 通いによるリハビリテーションが難しい
- かかりつけの病院で訪問リハビリテーションを実施していない

メリット

- 在宅で医療行為が受けられる
- 定期的な病状観察で、健康管理や変化への対応が速やかに行える
- 24時間連絡体制をとる事業所では、夜や休日も電話相談や必要に応じた訪問看護を実施できる
- 在宅看取り時期には、2週間毎日来てもらうこともできる
  ※医師の特別指示書が必要

デメリット

- ×訪問介護よりも単価が高いので、頻回に短時間訪問することが必要な場合は、別のサービスが適切な場合もある
- ×病院で行うような検査や積極的治療などは難しい

訪問看護

5 居宅療養管理指導

在宅で医療的な処置が必要な利用者には欠かせないサービス。

対象▶ 要介護 1 2 3 4 5 要支援 1 2

どんなサービス？

医師・歯科医師・薬剤師・歯科衛生士・管理栄養士が、通院が困難な利用者の自宅を訪問し、療養上の管理・指導を行います。

このサービスでは、医師や歯科医師は医療行為を行いませんが、その他の専門職は必要に応じて医療的なケアを行うこともあります。それぞれの専門職により管理・指導内容が異なるので、利用者のニーズに応じた医療職に依頼することが必要です。

医師・歯科医師	療養生活の質を向上させる管理・指導
薬剤師	処方薬の服薬に関する管理・副作用などの説明
歯科衛生士	口腔ケアや嚥下機能維持に関する指導
管理栄養士	利用者の状態に合わせた献立づくり、調理法の指導

どんな人が使える？

通院が困難で、医療的管理が必要とされる以下のような利用者に適しています。

利用者の例

- がん、高血圧、糖尿病など、治療が必要な疾患のある人
- 症状が不安定で、悪化・合併症・感染症などを引き起こしやすい状態の人
- 人工呼吸、経管栄養など、医療的管理の必要がある人
- 歯・口腔内に課題があり、継続的な管理が必要な人
- 薬の継続的調整が必要な人

単位表

居宅療養管理指導は、訪問建物居住者の人数に応じて単位数が変わります。これらは介護保険の支給限度額に含まれません。

訪問する専門職	条件	訪問した単一建物内の居住者数	1回あたりの単位	利用限度回数
医師 	居宅療養管理指導費Ⅰ（Ⅱ以外の場合に算定）	1人	515	2回／月
		2～9人	487	
		10人以上	446	
	居宅療養管理指導費Ⅱ（在宅時医学総合管理料を算定する利用者が対象）※	1人	299	
		2～9人	287	
		10人以上	260	
歯科医師 		1人	517	2回／月
		2～9人	487	
		10人以上	441	
薬剤師 	病院または診療所の薬剤師	1人	566	2回／月
		2～9人	417	
		10人以上	380	
	薬局の薬剤師	1人	518	4回／月
		2～9人	379	
		10人以上	342	
管理栄養士 		1人	545	2回／月
		2～9人	487	
		10人以上	444	
歯科衛生士 		1人	362	4回／月
		2～9人	326	
		10人以上	295	

訪問時の交通費は利用者の自己負担となることが多くなっています。利用前に確認が必要です。
※看護職員による居宅療養管理指導は廃止されます。
加算 特別地域加算／医療用麻薬持続注射療法加算（新設）／在宅中心静脈栄養法加算（新設）など。

2024改正 薬剤師のさらなる活躍に期待

2024年改正では、居宅療養管理指導の中で薬剤師が行う指導の中に、新たに以下の2つの加算が新設され、このサービスにおける薬剤師の活躍が期待されています。

- **医療用麻薬持続注射療法加算**：在宅で医療用麻薬持続注射療法を行っている利用者に対して、投与及び保管の状況、副作用の有無等を確認して指導するなどの薬学的管理指導
- **在宅中心静脈栄養法加算**：在宅で中心静脈栄養法を行っている利用者に対して、投与及び保管の状況、配合変化の有無等を確認して指導するなどの薬学的管理指導

居宅療養管理指導

医療職による見守りとアドバイス

医師・歯科医師・薬剤師・管理栄養士・歯科衛生士が自宅を訪問し、医療的な指導や管理、アドバイスをしてくれます。

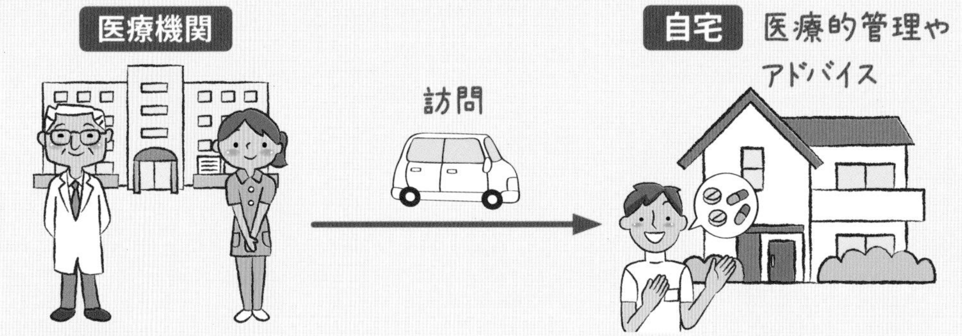

特徴 通院しなくても医療専門職の管理やアドバイスが受けられます。

- 寝たきりなど、外出困難だが医療が必要な方に便利
- 薬や入れ歯の調整など定期的な観察・管理ができる

いくらかかる？

一人暮らしの場合の１回あたりの金額の目安です。訪問する建物に住んでいる高齢者の人数によって、１回あたりの金額は変わります。

訪問する専門職		１回の金額	月に使える回数
医師	基本	515円	2回まで
	医療保険の訪問診療も使っている場合	299円	
歯科医師		517円	2回まで
薬剤師	病院・診療所の薬剤師	566円	2回まで
	薬局の薬剤師	518円	4回まで
管理栄養士		545円	2回まで
歯科衛生士		362円	4回まで

訪問のための交通費は別に必要な場合があるので、事業所に確認が必要です。

具体的なサービス利用のイメージ

それぞれの専門職から、下記のようなサポートを受けることができます。

	〈場面(相談)例〉	〈サポート例〉
医師	「ほぼ寝たきりの父。定期的な通院が介護者の母にとって重荷に……」 	✦医師が自宅を訪問して、通院時の診断に基づき継続的に健康状態を確認し、生活で気をつけたいことなどのアドバイスをくれます(検査や治療はできません)。
歯科医師	「認知症の父が虫歯に。1人では歯医者に行けないし……」 	✦歯科医師が自宅に訪問し、口の中の状態を確認します(検査や治療はできません)。
薬剤師	「一人暮らしの母が薬をちゃんと飲めているか心配……」 	✦医師から処方されている薬の管理方法や服薬アドバイス・指導、薬の副作用などについても説明してくれます。 ✦服薬状況を確認して、それに応じてかかりつけ医と連絡し、処方を調整してくれることもあります。
管理栄養士	「本人の病気のため、塩分を控えたメニューが望ましいが、どう作ればいいのか」 	✦栄養バランスを整えるための相談にのってくれ、「栄養ケア計画」を作成することもできます。 ✦ご本人の身体の状態に適した食事メニューや調理方法の指導もしてくれます。
歯科衛生士	「飲み込みが悪くなった父に、誤嚥しないような食べ方や食事を教えてほしい」 	✦ご本人やご家族に、正しい歯磨きや義歯の清掃方法、嚥下機能の維持や誤嚥を防ぐアドバイスや指導をしてくれます。

6 通所介護（デイサービス）

居宅サービス

高齢者の閉じこもりや生活リズムの乱れの防止、
家族の介護負担の軽減等の効果がある。

対象▶ 要介護 1 2 3 4 5　要支援 1 2（市町村総合事業）

どんなサービス？

事業者が自宅まで送迎し、入浴、健康のチェック、昼食、おやつ、レクリエーション、基本的なリハビリテーションなどを提供する日帰りのサービスです。外出が可能な比較的軽度の要介護者が利用することで、機能を維持することができます。

主な特徴

- 通所介護は事業所の規模によって類型が変わり、単位（利用金額）も変わります。50人以内なら通常規模型通所介護費、900人以内なら大規模型（Ⅰ）通所介護費、900人超であれば大規模型（Ⅱ）に分類されます。
- 定員18人以下の小規模な通所介護事業所は、地域密着型に分類されます。
- 介護職員の他、管理者、生活相談員、看護職員、機能訓練指導員などが常駐しています。

サービスの基本的な流れ（例）

単位表

時間が長く、要介護度が高く、事業所の規模が小さいほど単位は高くなります。

通常規模型

要介護度	時間	単位
要介護1	3時間以上 4時間未満	370
要介護2		423
要介護3		479
要介護4		533
要介護5		588
要介護1	4時間以上 5時間未満	388
要介護2		444
要介護3		502
要介護4		560
要介護5		617
要介護1	5時間以上 6時間未満	570
要介護2		673
要介護3		777
要介護4		880
要介護5		984
要介護1	6時間以上 7時間未満	584
要介護2		689
要介護3		796
要介護4		901
要介護5		1,008
要介護1	7時間以上 8時間未満	658
要介護2		777
要介護3		900
要介護4		1,023
要介護5		1,148
要介護1	8時間以上 9時間未満	669
要介護2		791
要介護3		915
要介護4		1,041
要介護5		1,168

大規模型事業所（Ⅰ）

要介護度	時間	単位
要介護1	7時間以上 8時間未満	629
要介護2		744
要介護3		861
要介護4		980
要介護5		1,097

大規模型事業所（Ⅱ）

要介護度	時間	単位
要介護1	7時間以上 8時間未満	607
要介護2		716
要介護3		830
要介護4		946
要介護5		1,059

地域密着型事業所

要介護度	時間	単位
要介護1	7時間以上 8時間未満	753
要介護2		890
要介護3		1,032
要介護4		1,172
要介護5		1,312

- 通常規模通所介護は、前年度の1月あたり平均利用延べ人員数が750人以内、大規模型通所介護（Ⅰ）は900人以内、大規模型通所介護（Ⅱ）は900人を超える事業所を指します。
- 昼食・おやつ代、おむつ代、娯楽・教材費などは別料金・自己負担のことが多く、事業所により大きく異なるため、事前に必ず確認を。

加算 次ページ参照

減算 送迎を行わない場合の減算／定員超過利用による減算／人員基準欠如による減算／高齢者虐待防止措置未実施減算（新設）／業務継続計画未策定減算（新設）など。

○通所介護における加算一覧

通所介護は加算が多く、その多寡や昼食などの設定によって利用者負担が多大になる可能性があります。あらかじめ、本人の状態に合わせた利用料金を確認しておきましょう。

主な加算は以下の通りです。

加算名	内容	単位
生活機能向上連携加算	自立支援・重度化防止の介護を推進するために、事業所のスタッフと外部のリハビリ専門職が連携して行う機能訓練のマネジメントを評価	Ⅰ 100単位／月 Ⅱ 200単位／月
個別機能訓練加算	個別のニーズを重視した機能訓練を評価 ※ⅡはⅠに乗せて算定	Ⅰイ56単位／日 Ⅰロ76単位／日 Ⅱ 20単位／月
中重度ケア体制加算	中重度の要介護者を積極的に受け入れ、在宅生活継続につながる支援を評価	45単位／日
栄養改善加算	管理栄養士が多職種と共同して栄養ケア計画の作成、実施～見直しまでのプロセスを評価	200単位／回
口腔・栄養スクリーニング加算	管理栄養士以外の介護職員でも実施可能な栄養スクリーニングを行い、ケアマネジャーと文書で結果を共有したことを評価	Ⅰ 20単位／回 Ⅱ 5単位／回
口腔機能向上加算	歯科栄養士等が口腔機能改善のための計画を作成、実施～見直しまでのプロセスを評価	Ⅰ 150単位／回 Ⅱ 160単位／回
ADL維持等加算	一定期間に利用者のうちADLの維持または改善の度合いが一定水準を超えたことを評価	Ⅰ 30単位／月 Ⅱ 60単位／月
入浴介助加算	入浴中の利用者の観察を含む介助について評価	Ⅰ 40単位／日 Ⅱ 55単位／日
認知症加算	認知症高齢者を積極的に受け入れ、在宅生活継続につながる支援を評価	60単位／日

介護予防通所介護

要支援の人が利用できる通所介護で、現在は市区町村が実施する「介護予防・日常生活支援総合事業」のなかで行われています。

利用料は回数ごと、月ごと、月に何回以上利用した場合は上限ありなど、各自治体で設定が異なるため、利用する自治体の料金体系を確認する必要があります。

療養通所介護

神経難病や末期がんなど、医療的ケアを必要とする利用者に対応した通所介護です。

看護職員の職員配置が手厚く、医師と連携して個別に配慮されたケアを提供します。

対象利用者	要介護1～5
利用定員	18人以下

月額報酬	単位
1カ月	12,785

加算 入浴介助体制強化加算など

認知症対応型通所介護

地域密着型サービス

通常のデイサービス機能のほか、認知症の人に適した運動やレクリエーションを行うなど、認知症の症状に配慮した専門的サービスが提供されます。

要介護度	時間	単独型 単独で運営（単位）	併設型 他の福祉施設に併（単位）	共用型 グループホーム施設の一部等で実施（単位）
要介護1	7時間以上 8時間未満	994	899	523
要介護2		1,102	989	542
要介護3		1,210	1,086	560
要介護4		1,319	1,183	578
要介護5		1,427	1,278	598

通所介護（デイサービス）

通いで入浴、食事、レクができる

自宅から事業所に通い、リハビリテーションや訓練を中心に入浴・食事・排泄などの介助を受けることができます。

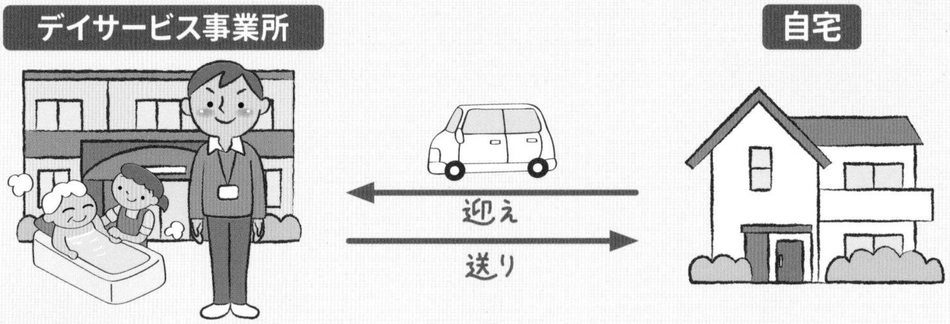

特徴 送迎で通い、入浴・食事等の生活支援等を受けます。

- 事業所に通うため、生活のリズムが保たれる
- 入浴・食事・排泄など生活面の支援が受けられる
- 玄関内までの送迎が付いている（送迎時にご家族がいなくてもよい）

いくらかかる？

時間の長さはもちろん、要介護度が高いほど支援が必要であり、事業所の規模が小さいほどこまやかで手厚い支援が可能なため、利用料は高くなります。以下は通常規模のデイサービス事業所で、約１日（6 時間以上 7 時間未満）サービスを受けた場合の１回あたりの料金目安です。

要介護度	金額
要介護1	584円
要介護2	689円
要介護3	796円
要介護4	901円
要介護5	1,008円

自己負担のもの
● 昼食代　● おやつ代 ● おむつ代　● 娯楽・教材費など

スタッフ

管理者のほか、生活相談員という、ご利用者からの相談に乗る専門スタッフがいます。介護職員はご利用者の人数に応じて必要な人員が決まっています。リハビリを中心に行う機能訓練指導員や看護職員などもいます。

サービス利用のポイント

通所介護の1日

車で自宅まで送迎し、デイサービスセンターや特養のデイルームなどで入浴、健康のチェック、昼食、おやつ、レクリエーションなどのサービスを提供します。

例

7 居宅サービス

通所リハビリテーション（デイケア）

本人の状態に合わせた個別訓練、集団訓練などを行うサービス。

対象▶ 要介護 1 2 3 4 5　要支援 1 2

どんなサービス？

医師の管理のもと、理学療法士、作業療法士、言語聴覚士（P83参照）らによる医療的ケアとリハビリテーションを行うサービスです。共通サービスに加え、運動器の機能向上・栄養改善・口腔機能の向上の選択的サービスを選べます

主な加算条件

- 医師の指示書がある
- ICTを利用したリハ会議の開催と参加
- リハビリテーション計画書の提出

通所介護（デイサービス）との違いは？

本人の状態やデイサービス・通所リハビリテーション各事業所のサービス内容を比較考慮して、適切なサービスを受けられる施設を選びましょう。

デイケア

デイサービスより専門的なリハビリテーションや、医療処置に対応できます。

デイサービス

リハビリテーションを受けられる事業所もありますが、基本的には日中活動はレクリエーションが中心です。

単位表

時間が長く、要介護度が高く、事業所の規模が小さいほど単位数は高くなります。

通常規模型

要介護度	時間	単位
要介護1	1時間以上2時間未満	369
要介護2		398
要介護3		429
要介護4		458
要介護5		491
要介護1	2時間以上3時間未満	383
要介護2		439
要介護3		498
要介護4		555
要介護5		612
要介護1	3時間以上4時間未満	486
要介護2		565
要介護3		643
要介護4		743
要介護5		842
要介護1	4時間以上5時間未満	553
要介護2		642
要介護3		730
要介護4		844
要介護5		957
要介護1	5時間以上6時間未満	622
要介護2		738
要介護3		852
要介護4		987
要介護5		1,120
要介護1	6時間以上7時間未満	715
要介護2		850
要介護3		981
要介護4		1,137
要介護5		1,290
要介護1	7時間以上8時間未満	762
要介護2		903
要介護3		1,046
要介護4		1,215
要介護5		1,379

大規模型事業所（Ⅰ）

要介護度	時間	単位
要介護1	3時間以上4時間未満	470
要介護2		547
要介護3		623
要介護4		719
要介護5		816

- 通常規模型は、前年度の1月当たり平均利用延べ人員数が750人以内、大規模型通所介護（Ⅰ）は900人以内の事業所を指します。

加算 延長による加算／入浴介助加算（Ⅰ・Ⅱ）／リハビリテーション提供体制加算／短期集中個別リハビリテーション実施加算／リハビリテーションマネジメント加算（A イ・ロ／ B イ・ロ）／理学療法士等体制強化加算／認知症短期集中リハビリテーション実施加算（Ⅰ・Ⅱ）／栄養改善加算／口腔機能向上加算／移行支援加算／生活行為向上リハビリテーション実施加算／介護職員処遇改善加算／栄養アセスメント加算／科学的介護推進体制加算／退院時共同指導加算（新設）など。

減算 送迎を行わない場合の減算／定員超過利用による減算／高齢者虐待防止措置未実施減算（新設）／業務継続計画未策定減算（新設）など。

介護予防通所リハビリテーション

要介護度	単位
要支援1	2,268
要支援2	4,228

通所リハビリテーション（デイケア）

リハビリ中心に入浴・食事も

自宅から事業所に通い、リハビリテーションや訓練を受けます。
リハビリテーションの内容は、専門職が立てた計画に基づいて行われます。

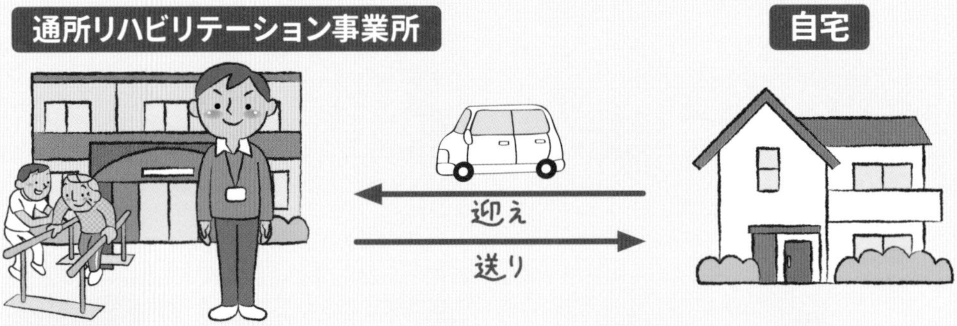

特徴 病院や老人保健施設などでリハビリ指導や訓練を受けます。

- 身体や生活機能の維持・向上を目的としたリハビリが中心
- 事業所に通うため、生活のリズムが保たれる
- 入浴・食事の介助を受けられる場合もある

いくらかかる？

事業所の規模と利用時間、要介護度によって異なります。
通常規模の利用料金の目安は以下のとおりです。

● 3時間以上4時間未満（約半日）

要介護度	金額
要介護1	486円
要介護2	565円
要介護3	643円
要介護4	743円
要介護5	842円

● 6時間以上7時間未満（約1日）

要介護度	金額
要介護1	705円
要介護2	850円
要介護3	981円
要介護4	1,137円
要介護5	1,290円

自己負担のもの

- 昼食代
- おやつ代
- おむつ代 など

スタッフ

右のようなリハビリテーションの専門職が事業所にいることが義務づけられています。どの専門職がいるか、確認しておきましょう。

理学療法士	立つ・歩く・座るなどの基本的運動を中心に、筋肉や関節を動かしたり強化したりして、身体の機能の維持・回復をする
作業療法士	入浴や食事といった日常生活上の動作のサポートのほか、手先を使った手工芸・園芸などの生活全般の活動がご本人自身でうまくできるようサポートする
言語聴覚士	話す、聞く、発音するなどコミュニケーションに関わる機能の訓練のほか、噛む、飲み込むなど食べる機能回復のサポートも行う

サービス利用のポイント

メリット

- リハビリ設備が整っているところでリハビリができる
- 専門家の指導を受けることができる
- 「リハビリ」という目的が明確で、ご本人のモチベーションが高まりやすい
- 外出の機会ができ、閉じこもりを予防できる

デメリット

- ×訪送迎サービスがない施設では、通うことが負担になる場合がある
- ×大人数が集まる施設では、一人ひとりに目を配る時間が少なくなる
- ×人と関わることが苦手な人にはストレスになることがある

通所リハビリテーションプログラム例

4時間の場合

8:30　ご家族が施設まで送る
↓
9:30　健康チェック
↓
10:00　ストレッチなどのリラクゼーション
↓
11:00　日常生活動作の訓練
↓
11:30　筋力トレーニング
↓
12:00　集団リハビリテーション
↓
12:30　自力で自宅まで帰宅

7時間の場合（送迎がある場合）

8:30　施設から送迎車で迎え
↓
9:30　健康チェック
↓
10:00　リハビリテーション
↓
11:00　入浴または集団リハビリテーション
↓
12:00　昼食
↓
13:00　機能訓練
↓
14:00　余暇活動（囲碁、カラオケなど、ご本人の趣味嗜好に合うもの）
↓
15:30　施設の送迎車で自宅に送り

8 短期入所生活介護（ショートステイ）

居宅サービス

介護者のレスパイト（休息）や、施設に慣れる等のメリットがあるサービス。

対象▶ 要介護 1 2 3 4 5　要支援 1 2

どんなサービス？

介護老人福祉施設（特別養護老人ホーム）など福祉施設に数日～数週間宿泊し、食事、排泄、入浴等の日常生活の介助やレクリエーションが受けられるサービスです。

主な利用目的

- 在宅介護家族の負担軽減（レスパイト）を目的に行われることが多い
- 在宅⇔施設の環境変化は本人のよい刺激にもなる
- その施設への入所申請後に、慣れてもらうために利用することも

どのくらい使える？

主な利用条件

- 原則として施設へ事前予約し、ケアプランに位置づけることが必要
- 1カ月に連続30日までの利用
- 介護者の事情・病気などで緊急に短期入所が必要な場合も、施設に空きがあれば利用可能（緊急短期入所受入加算が必要）

途中で自費利用の日を入れれば、30日を超えて利用できますが、要介護度が高くない場合に長期利用すると、支給限度基準額を大幅に超え自己負担が重くなります。

現在はケアプラン作成時、原則として、保険対象サービスの利用日数が認定有効期間の半分を超えないことが目安とされています。

単位表

ショートステイ単独で運営しているか、特養等に併設されているかなどで変わります。

単独型

●従来型個室

要介護度	単位
要支援1	479
要支援2	596
要介護1	645
要介護2	715
要介護3	787
要介護4	856
要介護5	926

●多床室

要介護度	単位
要支援1	479
要支援2	596
要介護1	645
要介護2	715
要介護3	787
要介護4	856
要介護5	926

●ユニット型個室

要介護度	単位
要支援1	561
要支援2	681
要介護1	746
要介護2	815
要介護3	891
要介護4	959
要介護5	1,028

●ユニット型個室的多床室

要介護度	単位
要支援1	561
要支援2	681
要介護1	746
要介護2	815
要介護3	891
要介護4	959
要介護5	1,028

併設型

●従来型個室

要介護度	単位
要支援1	451
要支援2	561
要介護1	603
要介護2	672
要介護3	745
要介護4	815
要介護5	884

●多床室

要介護度	単位
要支援1	451
要支援2	561
要介護1	603
要介護2	672
要介護3	745
要介護4	815
要介護5	884

●ユニット型個室

要介護度	単位
要支援1	529
要支援2	656
要介護1	704
要介護2	772
要介護3	847
要介護4	918
要介護5	987

●ユニット型個室的多床室

要介護度	単位
要支援1	529
要支援2	656
要介護1	704
要介護2	772
要介護3	847
要介護4	918
要介護5	987

●食費・おやつ代・送迎・おむつ代・日常生活費（理美容など）などは別料金・自己負担のことが多く、事業所により大きく異なるため、事前に必ず確認をしてください。

加算 機能訓練体制加算／個別機能訓練加算／看護体制加算（Ⅰ～Ⅳ）／医療連携強化加算／夜勤職員配置加算（Ⅰ～Ⅳ）／認知症緊急対応加算／若年性認知症利用者受入加算／送迎加算／緊急短期入所受入加算／療養食加算／在宅中重度者受入加算／認知症専門ケア加算（Ⅰ・Ⅱ）／サービス提供体制強化加算（Ⅰ～Ⅲ）／介護職員処遇改善加算（Ⅰ～Ⅲ）／看取り連携体制加算（新設）など。

減算 ユニットにおける職員配置についての減算／夜勤についての減算／身体拘束廃止未実施減算（新設）／高齢者虐待防止措置未実施減算（新設）／業務継続計画未策定減算（新設）など。

居室のタイプ

（P137参照）

従来型居室	10人程度の生活単位（ユニット）が設定されていない個室
多床室	定員2～4人の相部屋
ユニット型個室	共同のリビングを中央に置いたユニットが設定された個室
ユニット型個室的多床室	ユニット型の設定だが完全な個室となっていない（個室の壁が完全に仕切られていない等）多床室

負担限度額による自己負担の軽減

利用者が年金所得のみで 120 万円以下など住民税非課税の低所得者の場合は、負担限度額認定証を受けることにより、介護保険施設での住居費・食費が軽減され、ショートステイ利用も対象になります。

認定証は、本人が居住する市区町村に申請すると発行され、以降は毎年市区町村から申請書が送付されます。

利用者負担段階		居住費（滞在費）の負担限度額（円／日）					
		ユニット型個室	ユニット型個室的多床室	従来型個室		多床室	
				特養	老健 医療院	特養	老健 医療院
第1段階	・老齢福祉年金受給者で、世帯全員が住民税非課税の人 ・生活保護を受給している人	880	550	380	550	0	0
第2段階	・世帯全員が住民税非課税で、本人の課税年金収入額と合計所得金額と非課税年金収入額の合計額が年額80万円以下の人	880	550	480	550	430	430
第3段階	・世帯全員が住民税非課税で、本人の課税年金収入額と合計所得金額と非課税年金収入額の合計額が年額80万円を超える人	1,370	1,370	880	1,370	430	430
第4段階	・住民税課税世帯の人	2,066	1,728	1,231	1,728	915	437

利用は計画的に

実際は特養等でのショートステイ供給床数は決して多くないうえ、定期的または連続して利用する利用者も少なくないため、地域によっては新規のショートステイの予約が取りづらいことがあります。

ショートステイを利用する際は、以下の点に留意しましょう。

利用のポイント

- 予約が取りやすく本人の負担も比較的軽い１～２泊から計画的に始め、徐々に慣れるようにしましょう
- 環境の変化がストレスにもなります。利用後の本人の心身の状況を慎重にモニタリングしましょう
- 将来の入所を見据えて、本人に慣れてもらうための利用もあります
- 認知症の症状などからなじみのスタッフで行うほうが安全と思われる場合は、地域密着型サービスの小規模多機能型居宅介護事業所の利用も検討できます

スムーズな受け入れのための「事前見学」

ワンポイントアドバイス

ケアマネジャーは各サービス、特に通所系や短期入所系の施設については、事前に見学に行きましょう。施設やスタッフの雰囲気、他の利用者の様子などを知るためです。

同じように、利用者に通所サービス・短期入所サービスを提案する場合には、事前の見学を勧めましょう。

本人に認知症や拒否的な意思がある場合、事前の見学がかえって不安や拒否を大きくするかもしれません。その場合でも、利用開始後も安心して過ごしてもらえるよう、本人・家族ともこれから行く場所にできるだけ納得感を得たうえでサービスに入るのが基本です。

短期入所生活介護（ショートステイ）

短期間施設に入所し支援を受ける

このサービスでは、ご本人が近くの特別養護老人ホーム等の福祉施設に数日～数週間入所して、介護や支援を受けることができます。

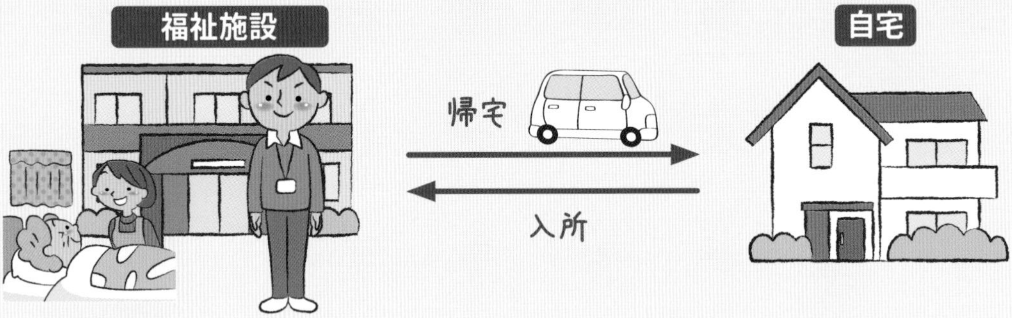

特徴 ご本人が一定の期間福祉施設に泊まって介護を受けられます。

- ご本人が入所している間、ご家族が一時休息できる
- 多人数でのコミュニケーションやリハビリテーションを行える
- 申し込んでいる施設（特養など）の生活に慣れてもらうために利用できる

いくらかかる？

特別養護老人ホーム等に併設しているかどうか、要介護度、部屋のタイプなどによって料金が異なります。以下は特別養護老人ホームに併設しているショートステイの１日あたりの金額の目安です。

●従来型個室・多床室

要介護度	金額
要支援1	451円
要支援2	561円
要介護1	603円
要介護2	672円
要介護3	745円
要介護4	815円
要介護5	884円

●ユニット型個室・ユニット型個室的多床室

要介護度	金額
要支援1	529円
要支援2	656円
要介護1	704円
要介護2	772円
要介護3	847円
要介護4	918円
要介護5	987円

自己負担のもの

- 食事代
- おむつ代
- 宿泊費
- 娯楽費

など

スタッフ

管理者・介護職・看護職・機能訓練指導員（主にリハビリテーションを行う）など、特別養護老人ホームに準じた職種の職員がいます。

サービス利用のポイント

短期入所生活介護の１日

- 朝ベッドから起床し、着替えて、デイルームなど日中生活の場所に移動して食事をとるなど、施設内の生活リズムで生活します。
- 日常生活に必要な食事、排泄、入浴、水分補給などの支援や介助を受けられます。

例

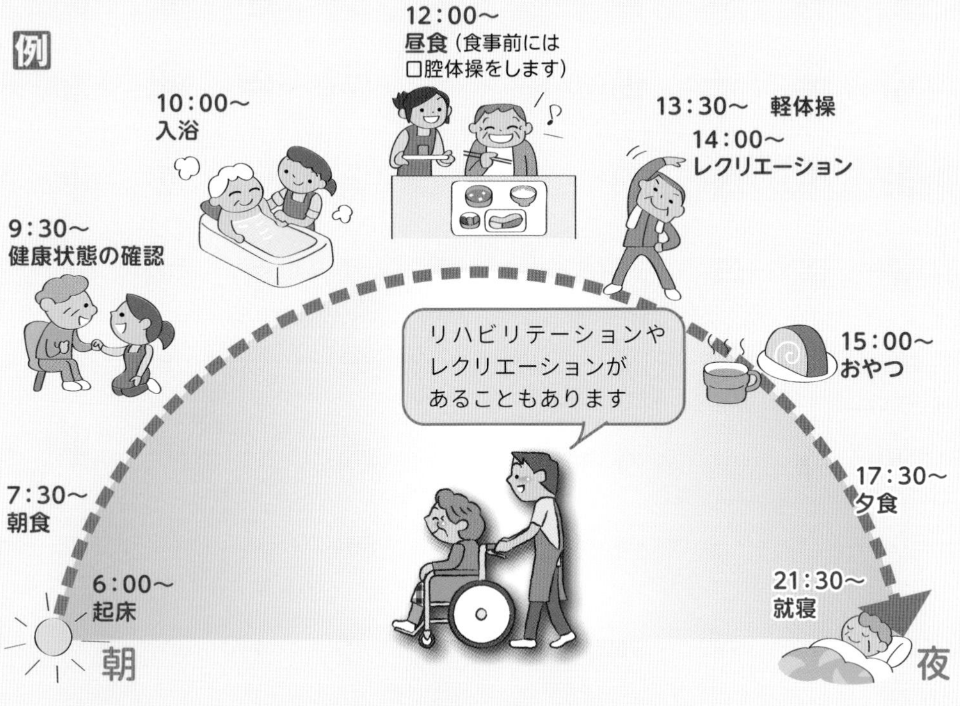

どのくらいの期間利用できるの？

- **１カ月の間に２日（１泊）から30日まで利用できます。**
- **ただし30日を超える場合は、１日だけ全額自己負担の日を入れれば、そのまま連続して利用することができます。**

長期にわたって自宅を離れることがご本人の精神的な不安感を招いたり、負担になってしまうことも。一般的には、３、４日～２週間程度の利用が多いです。

短期入所生活介護（ショートステイ）

9 短期入所療養介護（ショートステイ）

医療が充実しているので在宅復帰の足がかりにも利用できます。

対象▶ 要介護 1 2 3 4 5　要支援 1 2

どんなサービス？

主に要介護者が介護老人保健施設や介護医療院などに短期間入所し、看護や医学的管理のもとで介護、機能訓練、医療を受けるサービスです。

主な利用目的

- 医療的処置が必要で病院に入院する必要があった人などが、在宅生活に向けて環境を整えたり、集中的リハビリテーションをしたりする場として利用
- 緊急受入体制が整っている施設では、ターミナルケアでの医療的処置が必要な場面で、日帰り利用もできる
- 要支援の人も「介護予防短期入所療養介護」が利用できる

どのくらい使える？

主な利用条件

- 短期入所生活介護と同様に、事前予約しケアプランに位置づけることが必要
- 1カ月に連続30日までの利用
- 介護者の事情・病気などで緊急に短期入所が必要な場合も空きがあれば利用可能（緊急短期入所受入加算が必要）

単位表

短期入所療養介護の報酬体系は運営事業所の形態（老健、病院、診療所等）や人員配置などによっても異なり、複雑で多岐にわたります。加算の種類も非常に多く、施設・利用者ごとに付く加算は異なります。

短期入所療養介護の分類

介護老人保健施設	①介護老人保健施設(介護予防)短期入所療養介護 ②ユニット型介護老人保健施設(介護予防)短期入所療養介護 ③特定介護老人保健施設短期入所療養介護
療養病床を有する病院	①病院療養病床(介護予防)短期入所療養介護 ②病院療養病床経過型(介護予防)短期入所療養介護 ③ユニット型病院療養病床(介護予防)短期入所療養介護 ④ユニット型病院療養病床経過型(介護予防)短期入所療養介護 ⑤特定病院療養病床短期入所療養介護
診療所	①診療所(介護予防)短期入所療養介護 ②ユニット型診療所(介護予防)短期入所療養介護 ③特定診療所短期入所療養介護
老人性認知症疾患療養病棟を有する病院	①認知症疾患型(介護予防)短期入所療養介護 ②認知症疾患型経過型(介護予防)短期入所療養介護 ③ユニット型認知症疾患型(介護予防)短期入所療養介護 ④特定認知症疾患型短期入所療養介護

介護老人保健施設（I）

●従来型個室

要介護度	単位
要支援1	579
要支援2	726
要介護1	753
要介護2	801
要介護3	864
要介護4	918
要介護5	971

●多床室

要介護度	単位
要支援1	613
要支援2	774
要介護1	830
要介護2	880
要介護3	944
要介護4	997
要介護5	1,052

ユニット型介護老人保健施設（I）

●ユニット型個室

要介護度	単位
要支援1	624
要支援2	789
要介護1	836
要介護2	883
要介護3	948
要介護4	1,003
要介護5	1,056

●ユニット型個室的多床室

要介護度	単位
要支援1	624
要支援2	789
要介護1	836
要介護2	883
要介護3	948
要介護4	1,003
要介護5	1,056

●消耗品としての医療器具費・食費・おやつ代・送迎・おむつ代・日常生活費（理美容など）などは別料金・自己負担のことが多く、事業所により大きく異なる。

●居室のタイプ、居住費・食費についての負担限度額は短期入所生活介護と同様。

加算 夜勤職員配置加算／個別リハビリ加算／認知症ケア加算／認知症緊急対応加算／緊急短期入所受入加算／若年性認知症利用者受入加算／重度療養管理加算／在宅復帰在宅療養支援加算（Ⅰ・Ⅱ）／送迎加算／療養体制維持特別加算（Ⅰ・Ⅱ）／療養食加算／認知症専門ケア加算（Ⅰ・Ⅱ）／緊急時治療管理／サービス提供体制強化加算（Ⅰ～Ⅲ）／介護職員処遇改善加算（Ⅰ～Ⅲ）／総合医学管理加算／口腔連携強化加算（新設）／生産性向上推進体制加算（新設）など。

減算 食堂を有しない場合／身体拘束廃止未実施減算（新設）／高齢者虐待防止措置未実施減算（新設）／業務継続計画未策定減算（新設）など。

短期入所療養介護（ショートステイ）

短期間医療施設で医療を受ける

ご本人が近くの医療対応が可能な医療施設等に数日間入所して、看護・医学的管理のもとで、介護や機能訓練、その他必要な医療を受けるサービスです。在宅生活に必要な処置、リハビリ、体調調整等を行います。

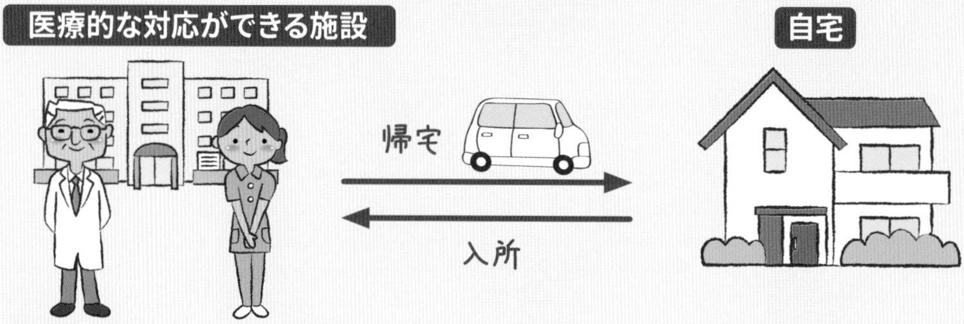

特徴 一定期間医療施設に泊まって、必要な医療を受けられます。

- 定期検査を受けたり、認知症の状態を観察してもらえる
- 集中してリハビリテーションを受けられる
- 医師、看護職員、リハビリ専門職など医療職が多く配置されている

いくらかかる？

運営している医療施設の種類と居室形態により料金は異なります。
以下は介護老人保健施設のショートステイの１日あたりの金額の目安です。

●従来型個室

要介護度	金額
要支援１	579円
要支援２	726円
要介護１	753円
要介護２	801円
要介護３	864円
要介護４	918円
要介護５	971円

●ユニット型個室・ユニット型個室的多床室

要介護度	金額
要支援１	624円
要支援２	789円
要介護１	836円
要介護２	883円
要介護３	948円
要介護４	1,003円
要介護５	1,056円

自己負担のもの

- 食事代
- おむつ代
- リハビリテーション費

など

スタッフ

医師の配置が義務づけられています。

看護職やリハビリテーション専門職も手厚く配置されています。

サービス利用のポイント

どんな時に利用できるの？

- よりよい在宅生活のために、集中してリハビリテーションを受けたい時
- 認知症の症状の様子を医療者に診てもらいたい時
- ご家族が、病気や冠婚葬祭等急な事情で介護ができない時

どんな医療が受けられるの？

- 痰の吸引
- チューブを用いた導尿
- インスリン注射
- 点滴
- 褥瘡・傷・皮膚疾患の処置
- 在宅酸素療法（HOT）や人工呼吸器の利用
- 機能回復訓練やリハビリテーション など
- 胃ろうなどの経管栄養
- 胃ろうチューブの交換
- 人工肛門（ストーマ）の処理・交換

どのくらいの期間利用できるの？

- **通常は、1カ月の間に2日（1泊）から30日まで利用できます。**
- **30日を超える場合は、1日だけ全額自己負担の日を入れれば、そのまま連続して利用することができます。**

通常は、医療処置やリハビリテーションの計画によって、必要な入所期間が提案されます。介護者の休息が必要な場合、それ以上の期間入所をすることもありますが、おおむね、5～10日間の利用が多いようです。

短期入所療養介護（ショートステイ）

10 福祉用具貸与

自宅での療養生活を送るために必要な福祉用具を借りられるサービス。

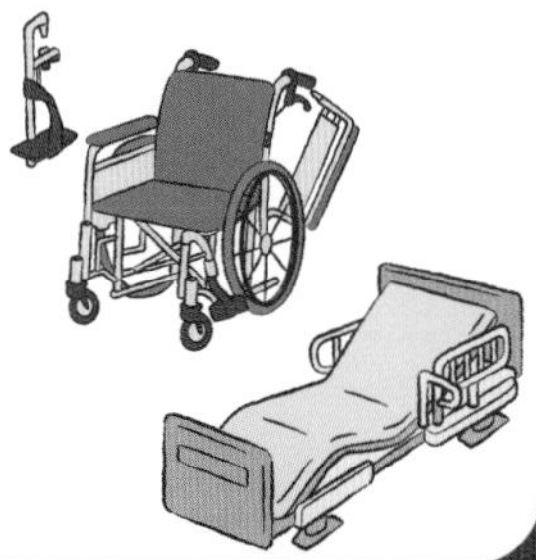

対象▶ 要介護 1 2 3 4 5　要支援 1 2

どんなサービス？

本人が自宅で生活しやすくするための福祉用具をレンタルできるサービスです。都道府県または市区町村の指定を受けた事業者から貸与できます。

貸与のポイント

13 種類	要介護度によって貸与できる品目の範囲が異なるので注意が必要	P96-97 参照

- 事業所によってレンタルできる品目・形式が異なることがあり、カタログ掲載の商品がすべて介護保険を利用できるとは限らない点にも注意しましょう。
- 要支援１～要介護１の軽度者で、貸与できる品目以外のものを借りたい場合は、「厚生労働大臣が定める者」に適合するなど、一定の条件があれば例外的に給付が可能な場合もあります。

支援のポイント

専門職の活用を支援する

ケアマネジャーは、生活のどの場面でどのような福祉用具を使用するのが望ましいか、利用者が以下の各専門職の意見を聞いて総合的に判断することを支援しましょう。

福祉用具専門相談員	指定福祉用具貸与事業所に必ず配置。商品情報に詳しい
本人と関わっている理学療法士・作業療法士	安全かつ本人の残存能力を奪われない環境設定の視点がある

全国平均貸与価格と設定価格の上限

- 料金設定は1カ月が原則ですが、日割りができる場合もあります。
- 搬入や組み立て代も利用料に含まれます（価格についてはP99参照）。
- 各商品の全国平均貸与価格と設定価格の上限が設定されていて、厚生労働省の福祉用具のホームページで公表されています。

複数候補からの選択を支援

ワンポイントアドバイス

●商品の説明義務

福祉用具専門相談員は、利用者が福祉用具を適正に選択できるように、機能や価格が異なる複数の候補商品を提示・説明する義務があります。商品の判断に迷う利用者にはケアマネジャーが補足しつつ、利用者の決定を支援しましょう。

●利用者側の視点で適正な用具選択を支援する

福祉用具専門相談員はなるべく長く使ってもらえるような器具を提案してくる可能性もあります。ケアマネジャーは、利用者側に立ってしっかりと見極め、生活目標を実現させるツールとして適正な福祉用具の選択を支援しましょう。

例えば、自立支援のため特殊寝台を入れる時には、以下の４項目のチェックは忘れないようにしたいものです。

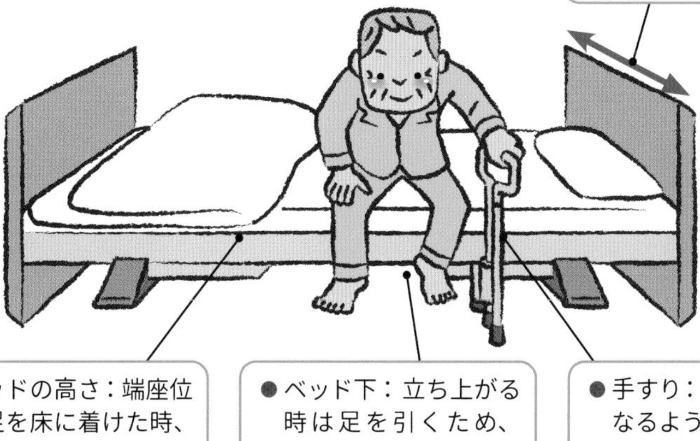

福祉用具貸与できる品目

要介護4以上で利用できる　要介護2以上で利用できる　要支援1以上で利用できる

	種目	機能	
1	**車いす**	自走用標準型車いす／介助用標準型車いす／普通型電動車いす	
2	**車いす付属品**	クッション、電動補助装置等であって、車いすと一体的に使用されるもの	
3	**特殊寝台**	サイドレールが取り付けてあるものまたは取り付け可能なものであって、次のいずれかの機能を有するもの ・背部もしくは脚部の傾斜角度を調節する機能を有するもの ・床の高さを無段階に調節する機能を有するもの	
4	**特殊寝台付属品**	マットレス、サイドレール等、特殊寝台と一体的に使用されるもの	
5	**褥瘡防止用具**	次のいずれかに該当するもの ・エアーマットと送風装置か空気圧調整装置からなるエアーバット ・減圧による体圧分散効果をもつ全身用のウォーターマット等	
6	**体位変換器**	空気パッド等を身体の下に挿入することにより要介護者等の体位を容易に変換できるもの(体位の保持のみを目的とするものを除く)	
7	**認知症老人徘徊感知機器**	要介護者等が屋外へ出ようとした時など、センサーにより感知し、家族および隣人へ通報するもの	
8	**移動用リフト(つり具を除く)**	床走行式、固定式または据置式であり、身体をつり上げまたは体重を支える構造を有するものであって、その構造により、自力で移動が困難な者の移動を補助する機能を有するもの(取り付けに住宅の改修を伴うものを除く)	
9	**自動排泄処理装置**	尿または便が自動的に吸引されるものであり、かつ、尿や便の経路となる部分を分割することが可能な構造を有するものであって、居宅要介護者またはその介護を行う者が容易に使用できるもの	
10	**手すり**	取り付けに際し工事を伴わないものに限る	
11	**スロープ**	段差解消のためのもので、取り付けに際し工事を伴わないものに限る	
12	**歩行器**	歩行が困難な者の歩行機能を補う機能を有し、移動時に体重を支える構造を有するもので、次のいずれかに該当するもの ・車輪を有するものにあっては、身体の前および左右をつかむ把手等を有するもの ・四脚を有するものにあっては、上肢で保持して移動させることが可能なもの	
13	**歩行補助杖**	松葉杖、カナディアン・クラッチ、ロフストランド・クラッチ、プラットホームクラッチまたは多点杖	

	補足説明
	あくまで「移動のための道具」です。長時間座る場合は、前傾姿勢をとりやすく座面が安定していて立ち上がりやすいいすにこまめに移乗することが前提です。そのうえで、本人に合ったものを選びましょう。モジュール式車いすは多少割高なものの、利用者の身体に合わせて部品の交換や調整ができるので便利です。
	寝たきりの人でない限り、離床しやすいように立ち上がりやすいベッドを選ぶのが基本です。介護保険で借りられるベッドはギャッジアップなどの本人の力を使わない機能が付いているので、本当にそれが必要か見極めたうえで導入を決めましょう。
	―
	―
	認知症の人が屋外へ行こうとした時に、センサーが感知して関係者に知らせるものです。通過センサー型、マットセンサー型、小型発信器型などがあります。
	ベッドから訪問入浴の浴槽への出入りや、階段移動などに使います。つり具の部分は購入対象です。要介護度の高い人が使用する傾向が強い品目です。
	―
	貸与できるのは、設置工事が必要でないものに限ります。布団からの立ち上がり手すり、床と天井で突っ張るタイプの壁がない場所にも設置できる手すり、トイレの便器周りの手すりなどがあります。
	―
	外出機会を増やすにはよい器具です。自立度が高く歩行に少し不安がある段階の人にお勧めしてみましょう。いわゆるシルバーカーは介護保険対象外です。
	T字杖は介護保険対象外ですが、歩行自立から状態が落ちた時に最初に使う杖でもあります。どの杖なら本人の歩く能力を維持・改善できるのか見極めます。長さの調整や、杖先のゴムの減り具合にも注意しましょう。

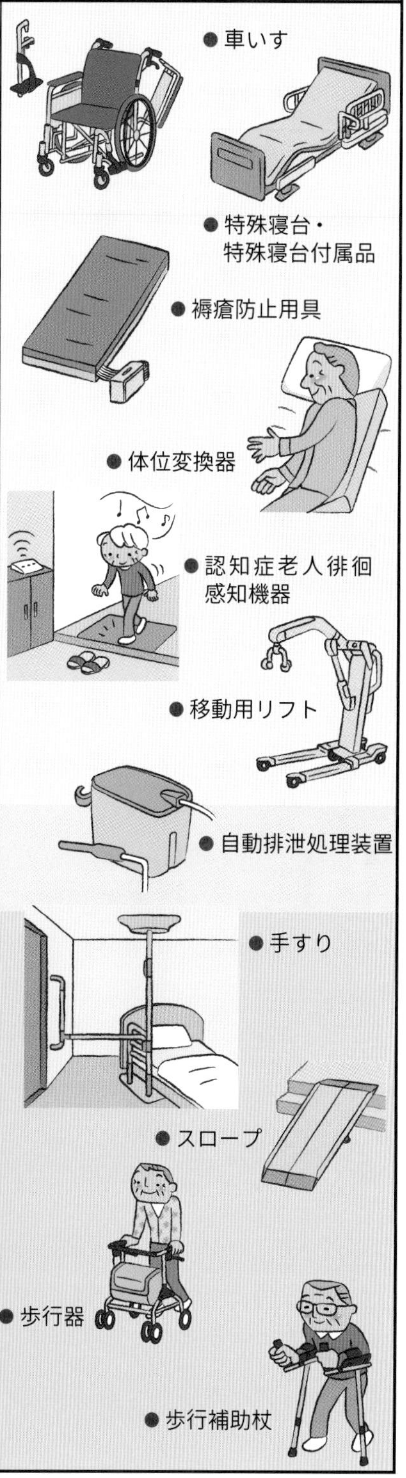

居宅サービス
福祉用具貸与

福祉用具貸与

介護用品を格安でレンタルできる

自宅内の環境などに応じて、安全・快適に過ごすために必要な福祉用具をレンタルすることができます。レンタルできる品目は決まっています。

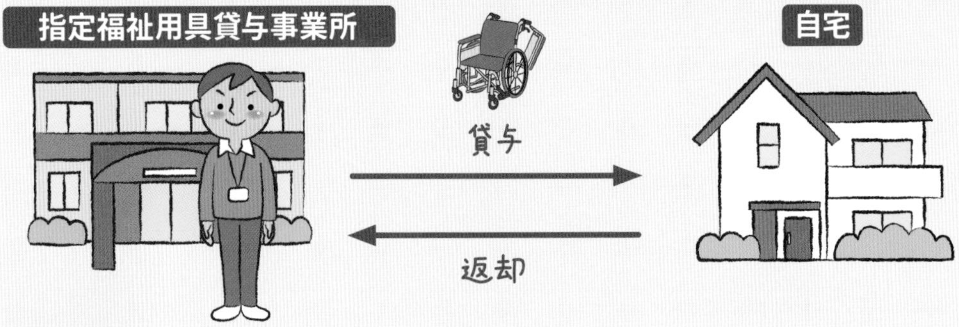

特徴 その時の状態に応じて必要な福祉用具をレンタルできます。

- ご本人の状態や環境が変化したら交換できる
- どのような福祉用具を使えばよいかアドバイスを受けられる

いくらかかる?

- レンタルできる用品と、自己負担金額の目安は右ページを参考にしてください（搬入や据え付けのための作業を含む）。
- 利用金額は原則１カ月ですが、日割りに応じられる場合もあります。
- 具体的な金額は、商品ごとに上限価格が決められています。ケアマネジャーや事業所の福祉用具専門相談員に尋ねましょう。

スタッフ

- 指定福祉用具貸与事業所には専門の相談員がいて、説明してくれます。
- リハビリテーションを受けている場合は、リハビリの担当者にも相談するとよいでしょう。

サービス利用のポイント

車いす

- 500 ～ 1,000円（電動車いす 2,000 ～ 3,000円）

※付属品は別途

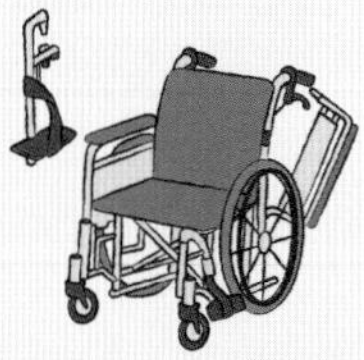

特殊寝台･特殊寝台付属品

- 1,000 ～ 2,000円

※付属品は別途

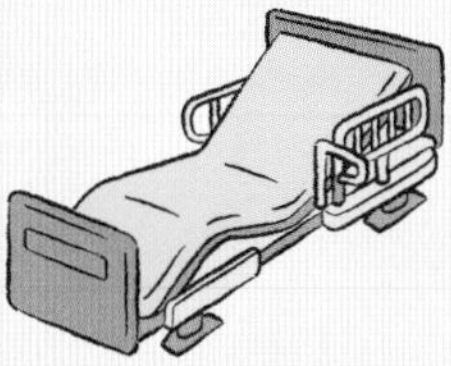

褥瘡防止用具

- 500 ～ 1,000円

体位変換器

- 300 ～ 1,000円

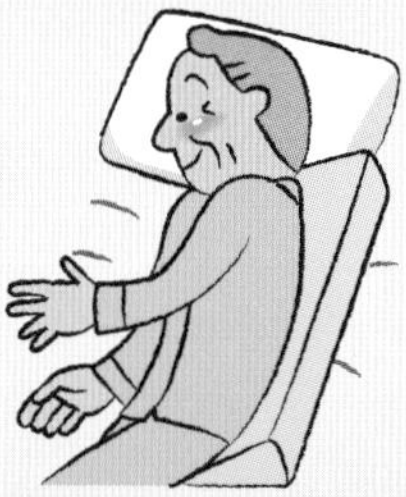

認知症老人徘徊感知機器

- 1,000 ～ 1,500円

移動用リフト

- 1,500 ～ 5,000円

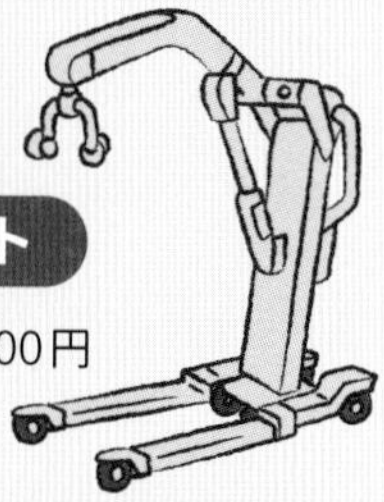

杖各種

- 100 ～ 400円

自動排泄処理装置

- 1,000 ～ 1,200円

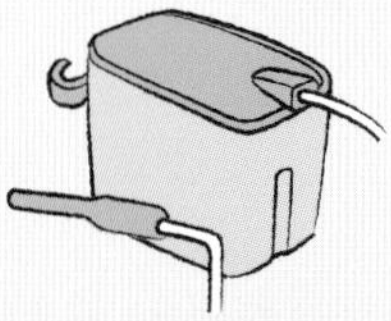

スロープ

- 500 ～ 1,000円

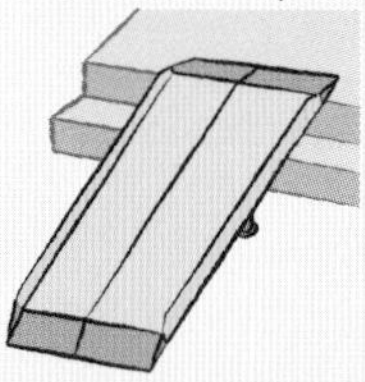

手すり各種　300 ～ 1,000円

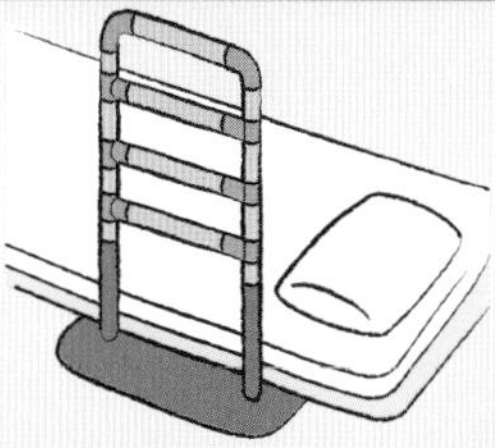

- 布団から立ち上がるための手すり

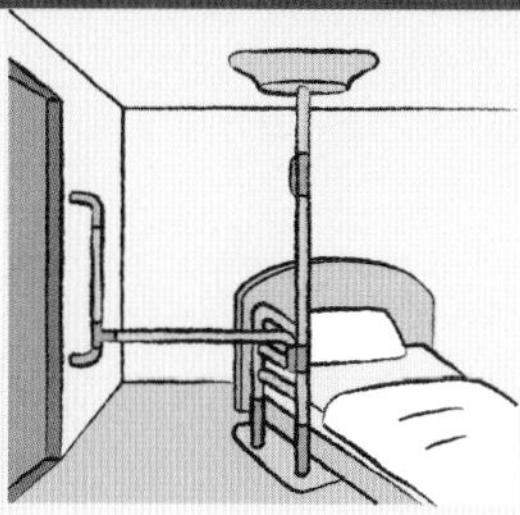

- ベッドから立ち上がり移動しやすくするための手すり

- トイレで立ち座りしやすくするための手すり

歩行器

- 200 ～ 500円

福祉用具貸与

11 特定福祉用具販売

居宅サービス

衛生面等から購入が適当な入浴・排泄回りの
福祉用具を購入できます。

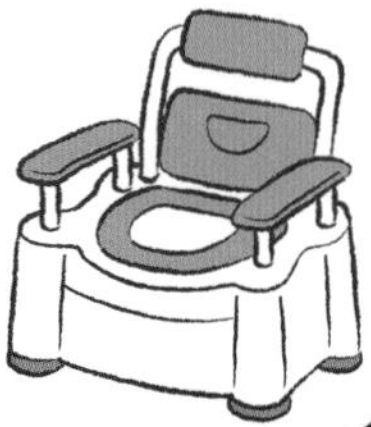

対象▶ 要介護 1 2 3 4 5　要支援 1 2

どんなサービス？

本人が自宅で使用する福祉用具のうち、貸与になじまない品目について、都道府県または市町村の指定を受けた事業者から購入できるサービスです。

指定事業者から購入しないと給付の対象にならないので、注意が必要です。

6種類（右ページ参照）	1人10万円（消費税込）以内、原則1品目1回	利用者負担1～3割

支払い方法は以下の2種類です。

償還払い

いったん利用者が全額を支払い、領収証を受領します。後日申請書類と領収証を市区町村の窓口に申請すると給付部分の7～9割が利用者に戻る支払い方法です。

受領委任払い

事業者に給付の受け取りを委託できる支払い方法です。現在はこの制度を取り入れている自治体も少なくありません。手続方法を確認しておきましょう。

支援のポイント

特定福祉用具販売は返品が難しいものが多いので、以下に注意して支援しましょう。

- 本人の状態がその商品やサービスに合っているか
- 一時的な利用ではなく、中長期的に必要となるものかどうか

特定福祉用具販売により購入できる品目例

品目	種類
腰掛便座	・和式便器の上に置いて腰掛式に変換する据え置き便器 ・洋式便器の上に置いて高さを補うもの ・電動式またはスプリング式で便座から立ち上がる際に補助できる機能を有しているもの ・ポータブルトイレ
自動排泄処理装置の交換可能部品	・レシーバー、チューブ、タンク等のうち尿や便の経路となり、本人または介護者が簡単に交換できるもの ・自動排泄処理装置本体は福祉用具貸与の対象品目
入浴補助用具 	・入浴時の材の維持、浴槽への出入り等の補助を目的とする、次のいずれかに該当するもの ・入浴用いす ・浴槽用手すり ・浴槽内いす ・入浴台（浴槽への出入りのために浴槽の縁にかけて利用するもの） ・浴室内すのこ ・浴槽内すのこ ・バスボード
簡易浴槽	・空気式または折りたたみ式等で容易に移動できるものであって、取水または排水のために工事不要なもの
移動用リフトのつり具の部分	・本体部分はレンタル可能品目。主に入浴時の浴槽～ベッド間移動などで使われる
2024改正 排泄予測支援機器	・利用者が常時装着して、膀胱内の尿のたまり具合を検知する機器

価格

福祉用具貸与とは異なり、全国平均価格が示されていません。複数業者から相見積りをとるなどして一般的な価格を調べてから、慎重に購入を決定しましょう。

地域の福祉用具情報を調べよう！

ワンポイントアドバイス

●消耗品支給の横出しサービス

自治体によって、月に一定量の紙おむつ等を支給する「横出しサービス（市町村特別給付）」を実施している自治体があります。

●「不要介護用品の譲渡希望」の情報提供

社会福祉協議会（社協）では、福祉用具のサポートとして、不要になった介護用品をリサイクルして譲渡したい情報を提供している場合があります。

特定福祉用具販売

介護用品購入費用の一部支給

安全・快適に過ごすために必要な福祉用具のうち、レンタルになじまないものの購入金額の一部を、介護保険から支給することができます。

※市町村や指定特定福祉用具販売事業所によっては、事業所が③④の保険給付部分の受領を代行することもできます。その場合、②で支払うのは自己負担部分のみです。

特徴 福祉用具の購入代金の一部を介護保険から支給してもらえます。

- 1年間で10万円までの購入代金に対して適用される
- 自宅で暮らすご利用者に支給され、購入対象品目は6種類
- どんな福祉用具を購入すればよいかアドバイスを受けられる

いくらかかる？

- 対象となる購入品目は右ページの6種類です。
- 商品・製造会社によって価格が異なります。ケアマネジャーにいくつか見積りをとってもらい、適正な価格のものを購入しましょう。
- 適用されるのは、1年間に10万円までです。

スタッフ

指定特定福祉用具販売事業所には専門の相談員がいて、説明を受けられます。購入する品目は交換しにくいものが多いので、どの商品にどのような特徴があるのか、詳しく尋ねましょう。

購入代金の一部支給が受けられる品目

❶腰掛便座

● 和式便所を洋式便所に変える据え置き式便器や、ポータブルトイレも含まれる

❷自動排泄処理装置の交換可能部分

● 本体部分はレンタル可能品目

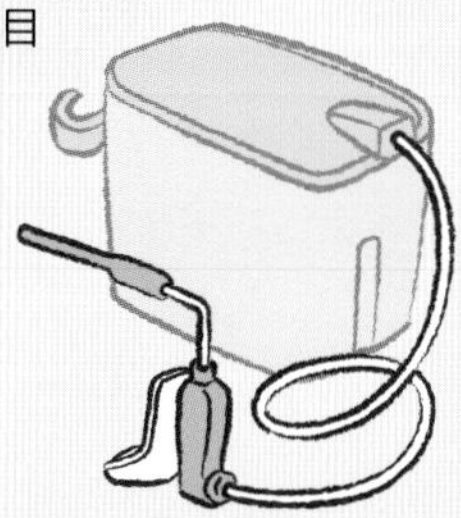

❸排泄予測支援機器

● 2024年から新たに対象に加わりました

❹入浴補助用具

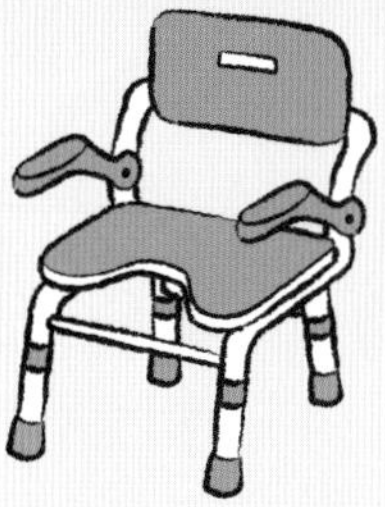

● 入浴用いす

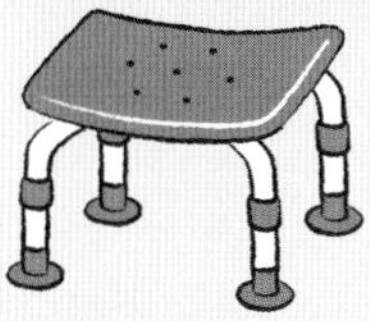

● 浴槽内いす

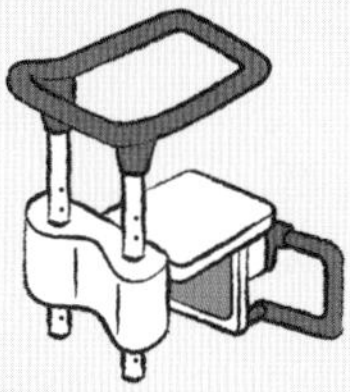

● 浴槽用手すり

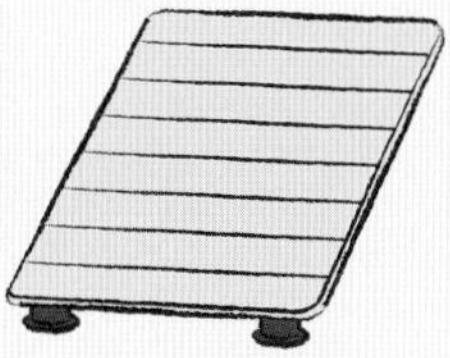

● 浴槽用すのこ
浴室内すのこ

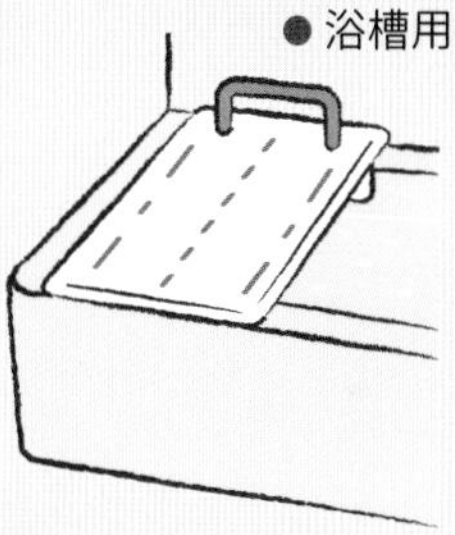

● バスボード

❺簡易浴槽

● 浴槽を折りたたみ身体の下に入れ込んでからふくらませ、お湯を張ることで入浴できる

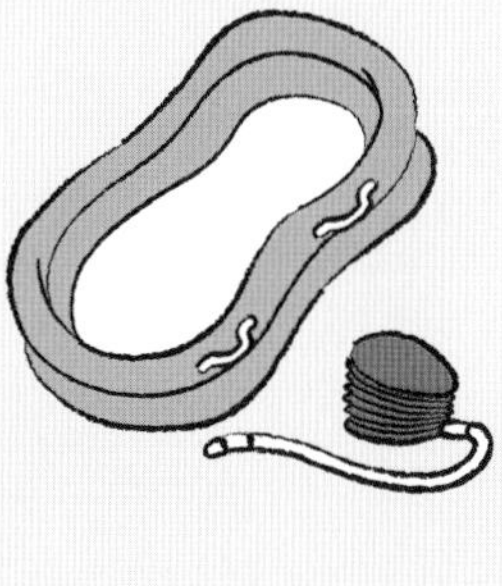

❻移動用リフトのつり具の部分

● 本体部分はレンタル可能品目。主に入浴時の浴槽～ベッド間移動などで使われる

12 住宅改修

居宅サービス

自宅の住環境を整えるための小規模な改修費用を一部支給するサービス。

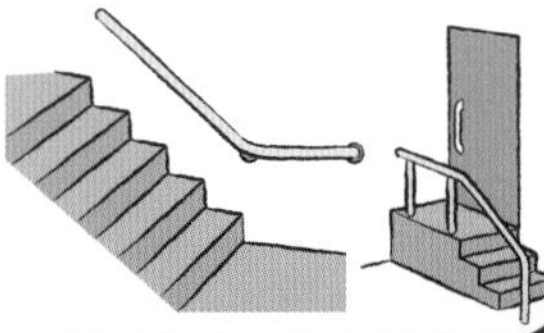

対象▶ 要介護 1 2 3 4 5　要支援 1 2

どんなサービス？

高齢者が自宅で安全に暮らせるように、指定事業者が小規模な家屋の改修を施すサービスです。

住宅改修のポイント

- 改修は6種類（P106～107参照）で、事前申請が必要
- 保険の適用は20万円までで※、1～3割を自己負担する
- 原則は償還払い（一部の事業者は受領委任払いも可）
- 工事は数回にわけてもよいが、新築住宅は対象外
- 要介護度が3段階（要支援は4段階）以上上がった場合や転居した場合は新たに工事が行える

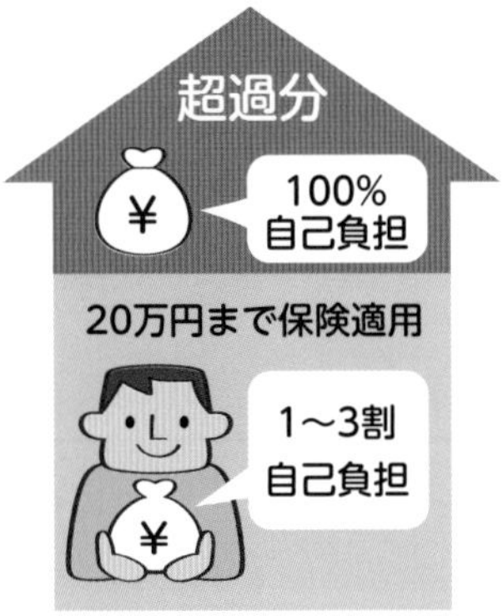

※支給限度基準額枠外。工事費総額が20万円以上でも超過分を自己負担すれば利用可能です。

住宅改修のタイミング

原則1回しか使えないので、改修の必要性が生じた時（著しくADLが低下した等）のためにとっておき、無理に改修を行う必要はありません。

住宅改修を行うタイミングの注意点

- 入院中に要介護認定を申請した場合、入院中に改修工事を済ませてしまうこともできる
- 入院中に工事を行ったが、施設に入所したり、退院できずに逝去するなど自宅に帰らなかった場合、または認定申請が通らず非該当とされた場合は全額自己負担となる

住宅改修申請の流れ

登録事業所に見積りを作ってもらう

↓

以下の事前申請書類を市区町村へ提出する

- 支給申請書
- 住宅改修が必要な理由書
- 工事費見積書
- 改修後の完成予定イメージ（図や、写真などを加工したもの）

書類提出は工事後だけではなく、施工前にも行う必要があります。

「住宅改修が必要な理由書」とは、この住宅改修でどのように利用者の自立支援を行うかを示すものです。当該利用者の身体状況・介護状況や課題、この住宅改修における利用者の希望、具体的方法と効果について、表に整理して記入します。

↓

許可が下りたら登録事業所に施工を依頼・完成

↓

以下の住宅改修費の支給申請書類を市区町村へ提出する

- 住宅改修費用の領収証
- 工事費内訳書
- 完成後の状態を確認できる書類（写真など）　他

↓

改修費用の保険適用部分が市区町村から利用者の口座へ振り込まれる

住宅改修せずに安全に暮らす工夫

ワンポイントアドバイス

専門業者に依頼しなくても、例えば以下のように家族・ヘルパーの力を借りて少しずつ危険を取り除けば、より安全な自宅環境を作れます。

- 足元に置いてある物（雑誌や小物等）を動線とは別の場所に片づける
- 室内のフローリング部分にカーペットを敷く
- カーペットの端がめくれないように固定する
- 階段の踏む面に滑り止め用のテープを貼る
- コード類をまとめて縛り、壁際に寄せる
- 和式便器にかぶせる据置型の洋式便座を特定福祉用具販売で購入する。

介護保険でできる住宅改修の種類

介護保険が適用される改修の種類は以下の 6 種類です。

1 手すりの取り付け

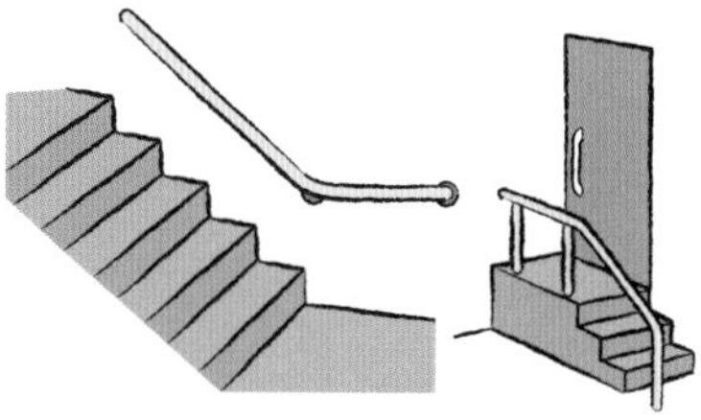

- 玄関回りやトイレ、浴室、階段などで、転倒予防や移動を楽にするための手すりを、工事して設置します。用途に合わせた形状（縦・横・L字など）や材質（室内用か、屋外用かなど）を選ぶことが大切です。
- 握って動きやすいように、設置時は高さや取り付け位置にも注意しましょう。

2 段差の解消

- 居室、浴室、トイレの出入口や玄関などでつまずかないように、段差や敷居を解消したり、上がり幅を小さくしたり、スロープやすりつけ板を設置するなどの工事を行います。

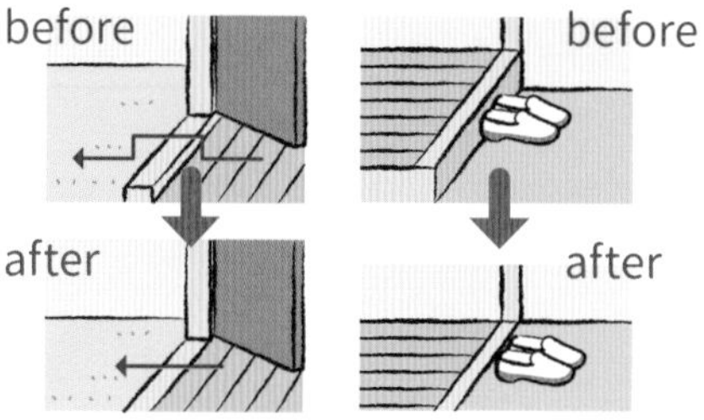

- 取り外しできる踏み台の設置は住宅改修ではありません。工事を伴うものは保険適用になります。

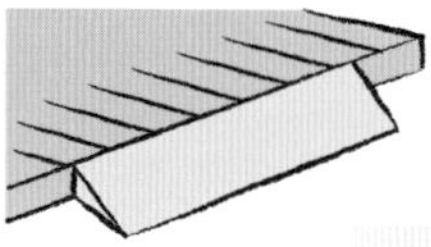

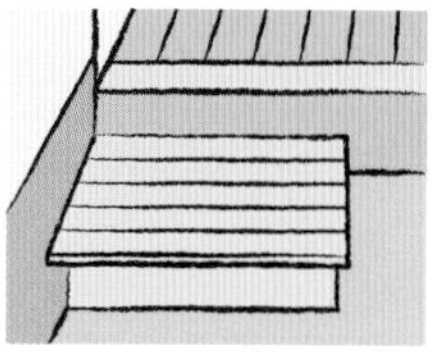

3 床・通路の材料変更

- 床面を滑りにくく移動しやすい素材に変更します。例えば、畳の部屋をコルクやビニールなどのフローリングに、浴室のタイルを滑りにくい形状の床材にするなどがあります。

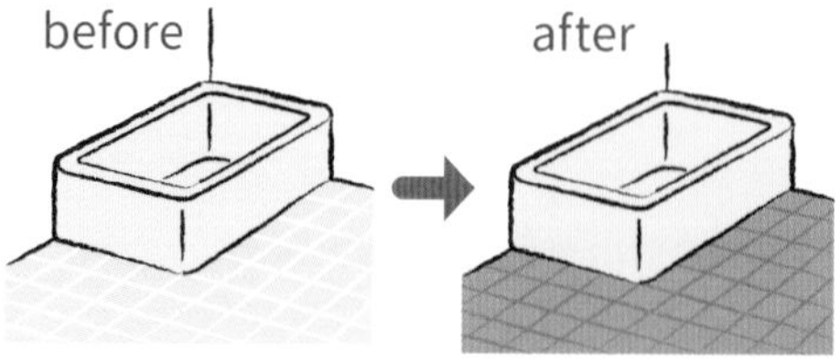

- 玄関前の飛び石もつまずきやすいものの一つ。撤去して平らで歩きやすい状態にすれば安全です。

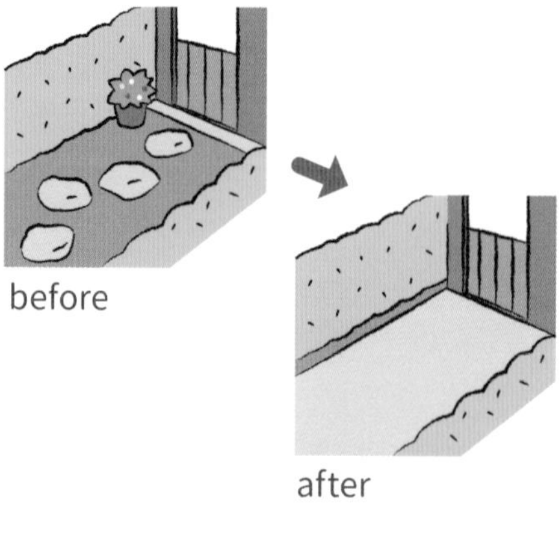

4 洋式便器への取り替え

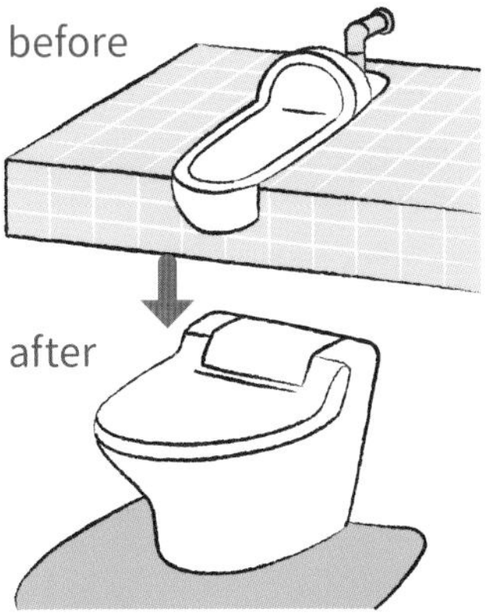

- 和式便器を使用している場合、座っている状態が安定していて、立ち上がりがしやすい洋式便器に変更できます。すでに洋式便器の場合は取り替えることはできません。
- 和式便器の段差は、同一改修内で付帯工事として解消してもらえます。

5 扉の取り替え

- 開き戸を引き戸や折り戸、アコーディオンカーテンなどに取り替えることができます。同時に段差を解消することで、部屋の出入口の動線が確保しやすくなります。

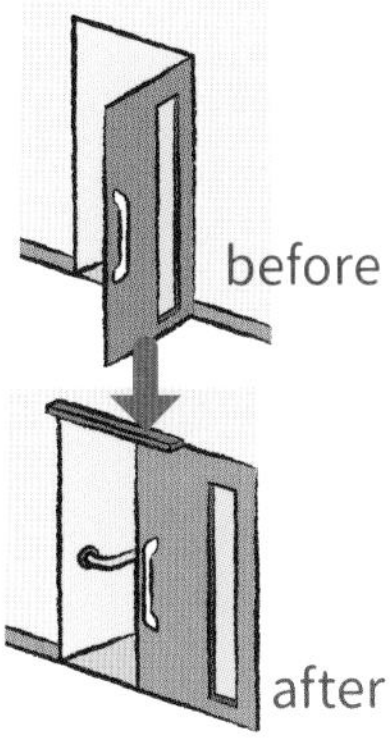

- 扉自体を完全に撤去して、床を完全に平らにすることもできます。

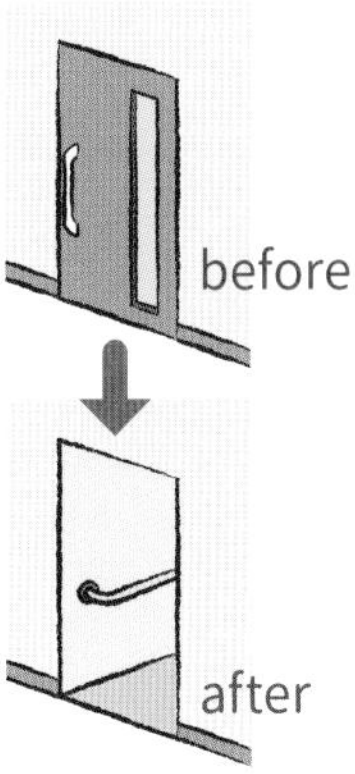

6 付帯工事

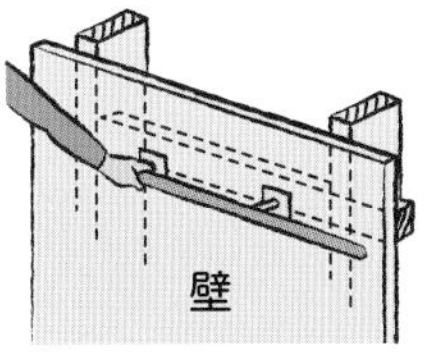

- ①〜⑤の工事に伴って必要となる補強工事や配管工事、事故防止のための対策なども住宅改修工事に含まれます。
- 壁をはがして行う手すり設置のための壁の補強（上）と床材取り替えのための根太工事（下）。

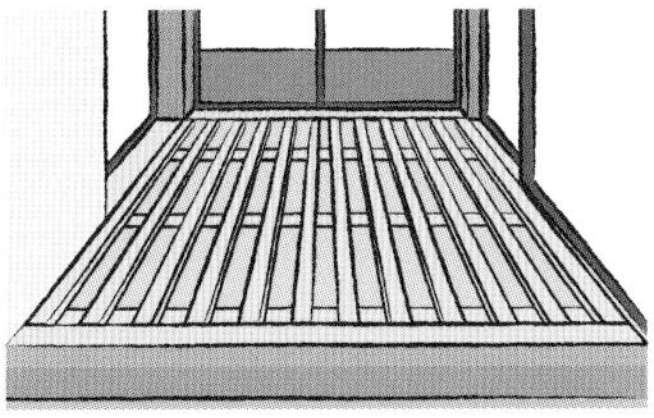

付帯工事の例

本工事	付帯工事例
手すり	取付けのための壁の下地補強
段差解消	浴室の給排水設備工事、スロープの設置に伴う転落防止柵設置
床材の取り替え	下地補強や根太の補強、玄関アプローチの材料を変更するための路盤整備
扉の取り替え	扉や柱の撤去、ドアノブの形状変更、戸車の設置
便器の取り替え	取替えに伴う給排水設備工事、便器の取替えに伴う床材の変更

住宅改修

住宅改修費用の一部支給

自宅内で安全・快適に過ごすために、住宅の小規模な改修が必要な場合、費用の一部を介護保険から支給してもらうことができます。

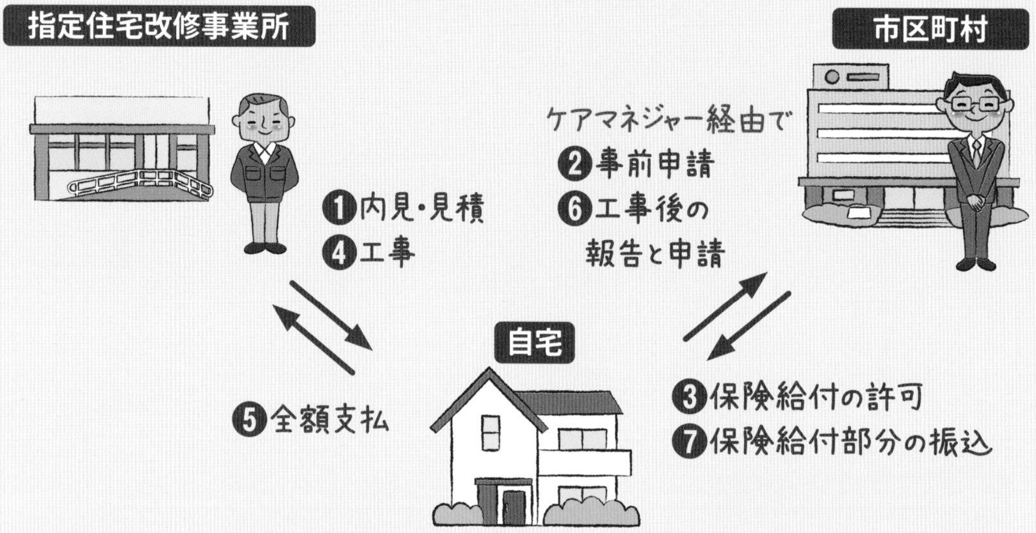

市区町村や指定住宅改修事業所によっては、事業所が②⑥の申請と⑦の保険給付部分の受領を代行することもできます。その場合、⑤で支払うのは自己負担部分のみで済みます。

特徴　ご利用者１人につき20万円までの購入代金に対して適用されます。

- 同一家屋に２人のご利用者がいれば、合算して利用可能
- 数回に分けて利用することもできる
- 要介護度が大きく上がったら、もう一度利用できる

いくらかかる？

この制度で利用できる改修工事の内容は、右ページの６種類です。それぞれの費用は、住宅の状況や、設置する福祉用具代金、必要な付帯工事等により異なります。このため、指定業者による事前の調査（下見）と見積りが必須です。１社の見積りで納得がいかない場合は、複数の業者から見積りをとることができます。

住宅改修費用の目安

場所	改修例	金額
トイレ	洋式の便座の変更	1.5～2.5万円
	和式→洋式便器に変更	5～6万円
	手すりの設置＋スペース拡張	7～8万円
浴室	折畳み扉に変更＋開口幅拡張	1～3万円
	段差解消	3～4万円
	浴槽を浅くする	5～6万円
玄関	簡易な車いす用スロープの設置	4～6万円

設置する商品の価格によっては、これ以上の金額になることもあります。
疑問に思ったら、指定住宅改修事業所から具体的な説明を受けましょう。

介護保険を利用できる住宅改修の種類・範囲

❶手すりの取り付け

● 階段・玄関・トイレ・廊下など

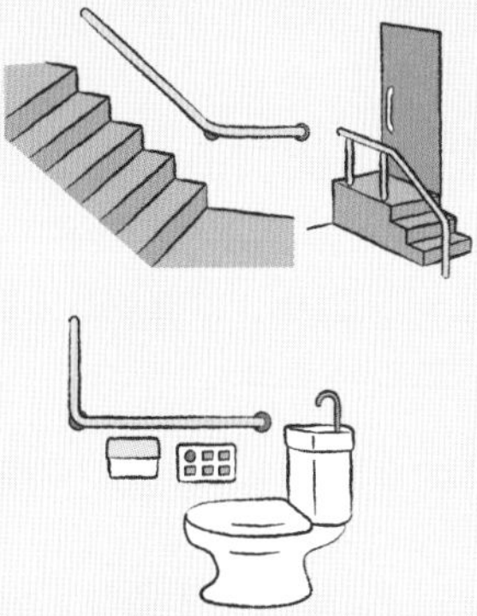

❷段差の解消

● 廊下・浴室・トイレなどの出入口

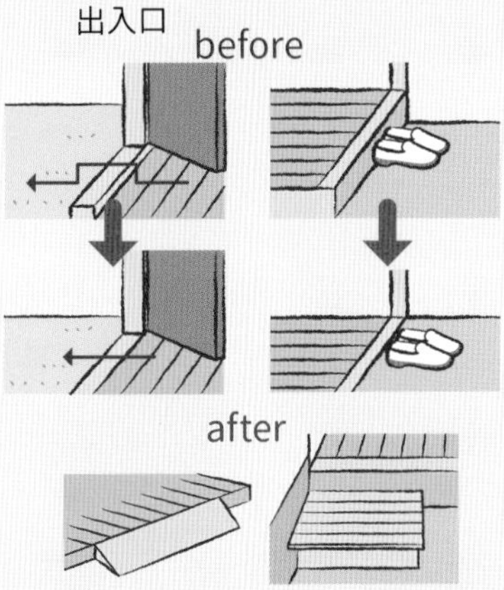

❸床材の変更

● 居間・浴室・玄関など

❹洋式トイレへの変更

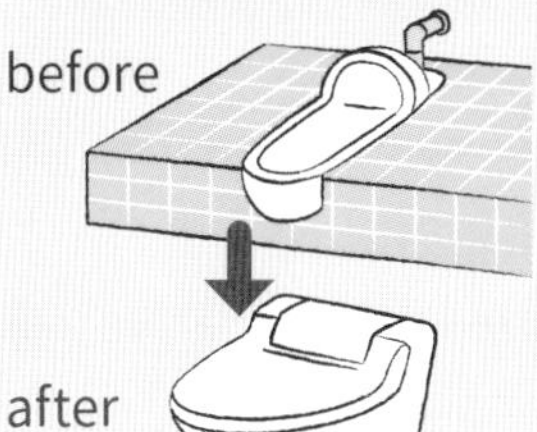

❺扉の変更

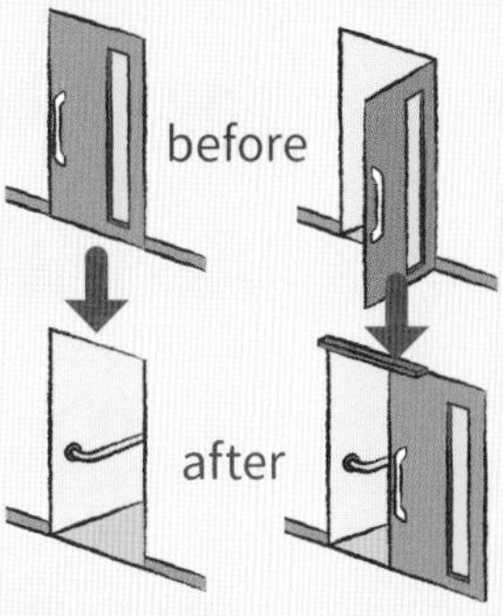

❻ ❶～❺の工事に付随して必要な補強工事等

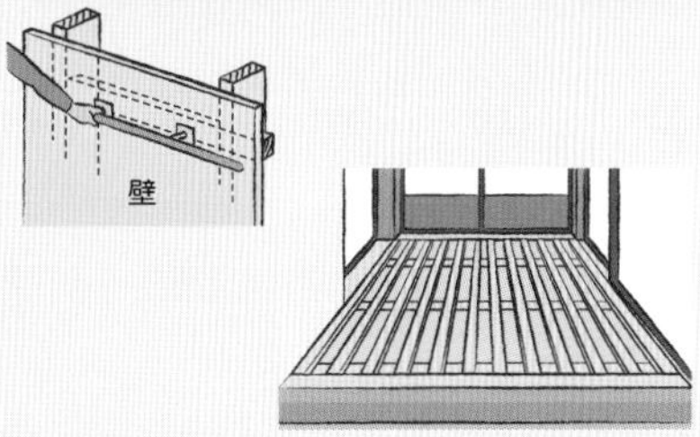

13 定期巡回・随時対応型訪問介護看護

地域密着型サービス

定時の巡回や随時の訪問介護と訪問看護を 24 時間・365 日自宅で受けられるサービス。

対象▶ 要介護 1 2 3 4 5　要支援 1 2

どんなサービス？

要介護高齢者の在宅生活を24時間365 日「必要な時に必要なケア」で支えるために、地域密着型サービスとして登場したのがこのサービスです。基本となるのは、次の４つのサービスです。

定期巡回サービス

訪問介護員が利用者宅を定期的に巡回で訪問し、短時間の介護サービスを行います。
主な内容は、排泄介助、入浴介助、食事介助、服薬介助、安否確認など。

随時対応サービス

24 時間 365 日常駐のオペレーター（看護師・介護福祉士等）が、利用者・家族から体調不良や緊急時などに専用の端末機で連絡を受けます。

随時訪問サービス

転倒時の対応、排泄介助など、随時対応サービスで訪問を要すると判断した場合、訪問介護員が利用者宅を訪問して介護サービスを行います。

訪問看護サービス

看護職員などが医師の指示書に基づいて利用者宅を訪問し、看護サービスを行います。
体調不良への対応、服薬管理、褥瘡の処置、排便管理など。

単位表

事業所が一体型で訪問看護の有無、事業所が連携型かで変わります。

要介護度	一体型		連携型
	訪問看護を行わない（単位）	訪問看護を行う（単位）	訪問看護なし（単位）
要介護1	5,446	7,946	5,446
要介護2	9,720	12,413	9,720
要介護3	16,140	18,948	16,140
要介護4	20,417	23,358	20,417
要介護5	24,692	28,298	24,692

加算 緊急時訪問看護加算／特別管理加算／ターミナルケア加算／初期加算／退院時共同指導加算／総合マネジマント体制強化加算／生活機能向上連携加算／サービス提供体制強化加算／介護職員処遇改善加算／市町村独自加算／認知症専門ケア加算／口腔連携強化加算（新設）など。

減算 同一建物減算／通所利用減算／短期入所（日割り）／高齢者虐待防止措置未実施減算（新設）／業務継続計画未策定減算（新設）など。

2024改正 夜間訪問型が新設されました

2024 年改正より、夜間のみにサービスを必要とする人のために、新たに「夜間訪問型」が新設されました。夜間訪問型は要介護度別に料金を設定するのではなく、定額の「基本サービス費」を支払い、その上でサービスを行った分だけ請求する「出来高制のサービス費」との合算になります。

料金体系は以下の通りです。

夜間訪問型　定期巡回・随時訪問型訪問介護看護

定額制（単位）	
基本サービス費	989
出来高制（単位／回）	
定期巡回サービス費	372
随時訪問サービス費（Ⅰ）	567
随時訪問サービス費（Ⅱ）（2人の訪問介護員で訪問する場合）	764

包括払いの報酬

通常の訪問介護では、１日に６回も７回も訪問を受けると、あっという間に支給限度基準額を超えてしまいます。一人暮らしや要介護度が高い人が、住み慣れた自宅や地域で最期まで暮らすのに、このサービスは大きな味方になります。

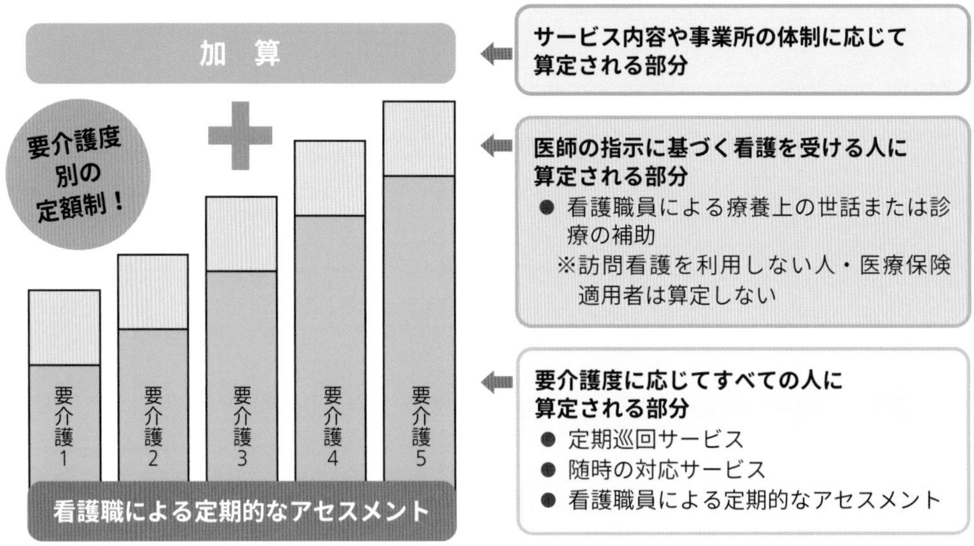

事業所には2つのパターン

事業所には２つの類型があります。

一体型

「訪問介護」と「訪問看護」を一体的に提供する事業所です。訪問介護と訪問看護の連携がとりやすい、看護職から介護職へのサポートが受けやすいなどのメリットがあります。利用者にとっても、同じ事業所から両方のサービスが来てくれることになります。

連携型

他事業所の「訪問看護」と連携してサービスを提供します。複数の訪問看護ステーションと連携できるのがメリットですが、情報の共有や連携方法の統一がしにくくなることもあります。

どんな利用者に適しているか

利用例 1

要介護度が中・重度で医療的処置が必要な人

- 慢性閉塞性肺疾患で在宅酸素を使用している利用者（要介護度 4）。呼吸不全で入退院を繰り返し、療養型病院を紹介されるが、自宅へ戻ることを本人・家族が希望。定期巡回・随時対応型訪問介護看護の導入で、自宅へ戻ることができた。

利用例 2

一人暮らし、老老介護で常時介護が必要な人

- 90 代の一人暮らしの認知症の女性（要介護度 3）。夜間のトイレ介助からサービス利用を開始。転倒時も随時対応でかけつけられるため、大きな安心につながった。

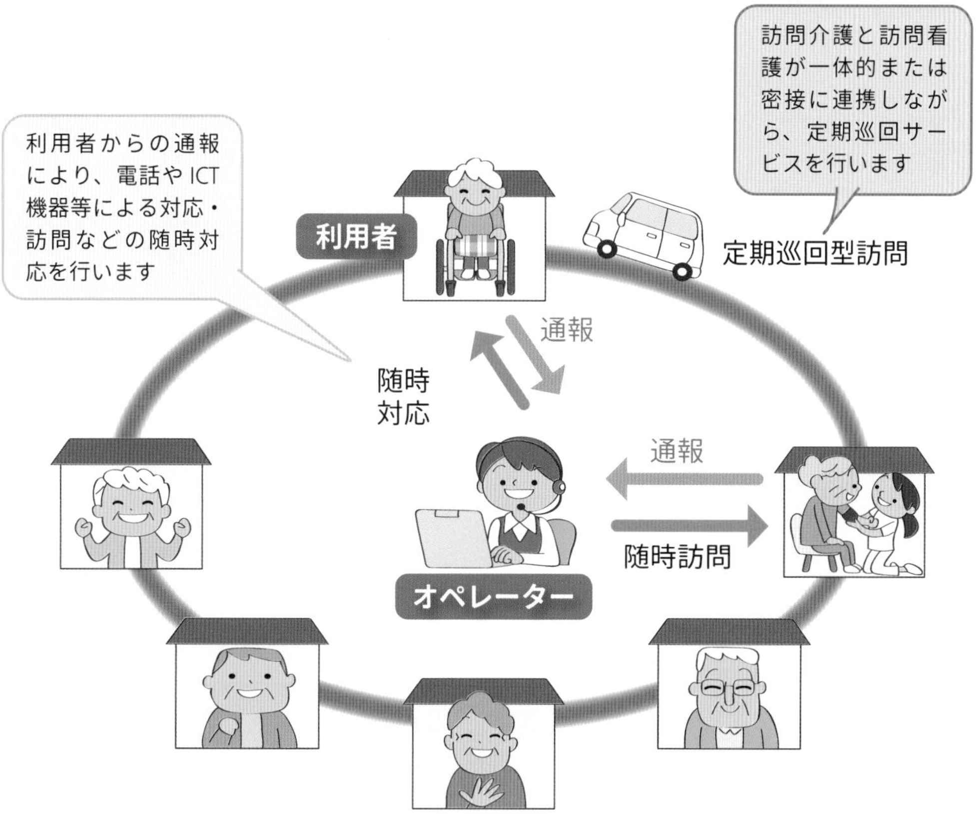

定期巡回・随時対応型訪問介護看護

24時間365日サービスにつながる安心

24時間対応なので、緊急時も介護・看護職員が対応してくれます。
食事や排泄、入浴などの介護と医療的な処置が夜間も受けられます。

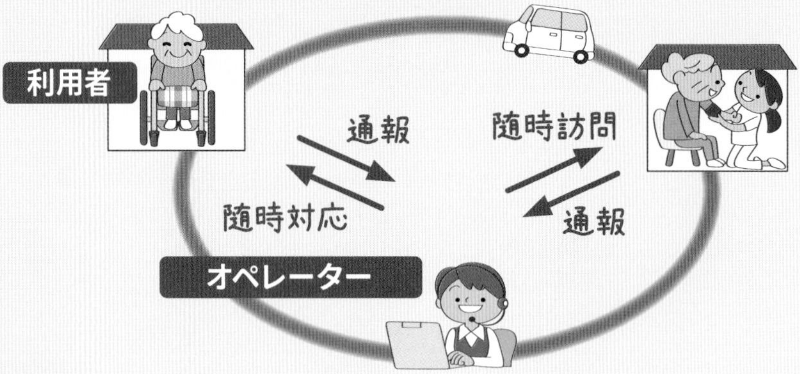

特徴 24時間対応で、定期的にも、突発的にも訪問してくれます。

- 介護サービスと医療サービスが一体的に受けられる
- 一人暮らし、老老介護で介護度が高くなっても、自宅で暮らし続けられる
- 夜中でもオペレーターとつながるので、安心
- 利用料は1ヵ月の定額制なので、1日複数回、必要なだけ使える

いくらかかる?

1ヵ月ごとの定額制です。訪問看護を使う場合と使わない場合で費用は異なります。

要介護度	一体型		連携型
	訪問看護を行わない	訪問看護を行う	訪問看護なし
要介護1	5,446円	7,946円	5,446円
要介護2	9,720円	12,413円	9,720円
要介護3	16,140円	18,948円	16,140円
要介護4	20,417円	23,358円	20,417円
要介護5	24,692円	28,298円	24,692円

夜間訪問型	
定額制(単位)	
基本サービス費	989
出来高制(単位/回)	
定期巡回	372
随時訪問	567
随時訪問(2人訪問)	764

サービス利用のポイント

定期的なサービスの内容

計画に沿って1日に複数回、介護スタッフ、看護スタッフが訪問。

- **訪問介護**：排泄、食事、入浴、就寝などの介助、安否確認など
- **訪問看護**：薬の管理、病状や体調の確認、床ずれの予防や処置、点滴を行う、リハビリなど

随時行うサービスの内容

- ケアコール端末などを自宅に設置して、緊急時にオペレーターが即時に対応
- 転倒して動けない、排泄の失敗など、状態に応じて介護スタッフが自宅を訪問

オペレータが行うサービスの内容

- 利用者から通報を受ける
- 通報内容を受け、適切な人材が訪問できるよう手配する

こんなふうに暮らせます

軽度の認知症があるけど一人で暮らしたい

買い物や調理は1人でしていたが、薬の飲み忘れが増えてきたため、訪問介護を定期巡回・随時対応型訪問介護看護に切り替えた場合。

- 慣れ親しんだデイサービスは継続利用
- 1日4回の訪問で食事、起床や就寝の介助と服薬のサポート
- ご本人が不安な時は夜間でもコール
- 遠くのご家族も、1日に4回の見守りで安心と

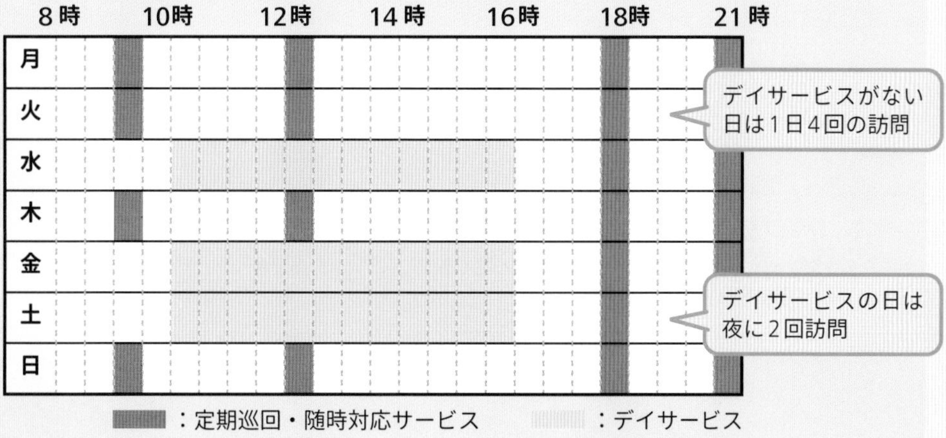

14 夜間対応型訪問介護

地域密着型サービス

22～6時を含む夜間帯に訪問介護を提供するサービス。

対象▶ 要介護 1 2 3 4 5 要支援 1 2

どんなサービス？

要介護度が重度、あるいは一人暮らしの人の夜間の在宅生活を支えるために創設されたサービスです。ケアコール端末でオペレーターにつながるので、緊急時の相談などに応じられるのが特徴です。基本となるのは、次の３つのサービスです。定期巡回・随時対応型訪問介護看護サービスの「訪問看護」のないものと考えてよいでしょう。

定期巡回サービス

訪問介護員が利用者宅を決められた時間に巡回で訪問し、短時間の介護サービスを行います。主な内容は、排泄介助、就寝・起床介助、服薬介助、安否確認など。

随時対応サービス

24時間365日常駐のオペレーター（看護師・介護福祉士等）が、利用者・家族から体調不良や緊急時などに連絡を受けます。

随時訪問サービス

転倒時の対応、排泄介助など、オペレーターが訪問を要すると判断した場合、訪問介護員が利用者宅を訪問して介護サービスを行います。

就寝や起床の介助、夜間のおむつ交換などは、定期的な短時間の訪問サービスで、転倒や体調が悪くなった時などは随時対応で駆けつけてくれます。

単位表

オペレーションセンターを設置する場合と設置しない場合で変わります。オペレーションセンターを設置しない場合は1カ月の定額制、設置する場合は基本サービス費と訪問回数の合計になります。随時訪問Ⅰは訪問介護員が1人の場合、Ⅱは訪問介護員が2人の場合です。

	オペレーションセンター設置あり（単位）	オペレーションセンター設置なし（1カ月あたり）（単位）
基本サービス（1カ月）	989	2,702
定期巡回サービス（1回）	372	
随時訪問サービスⅠ（1回）	567	
随時訪問サービスⅡ（1回）	764	

加算 介護職員処遇改善加算／24時間通報対応加算／認知症専門ケア加算／特別地域加算など。

減算 同一建物等居住者にサービス提供する場合／高齢者虐待防止措置未実施減算（新設）／業務継続計画未策定減算（新設）など。

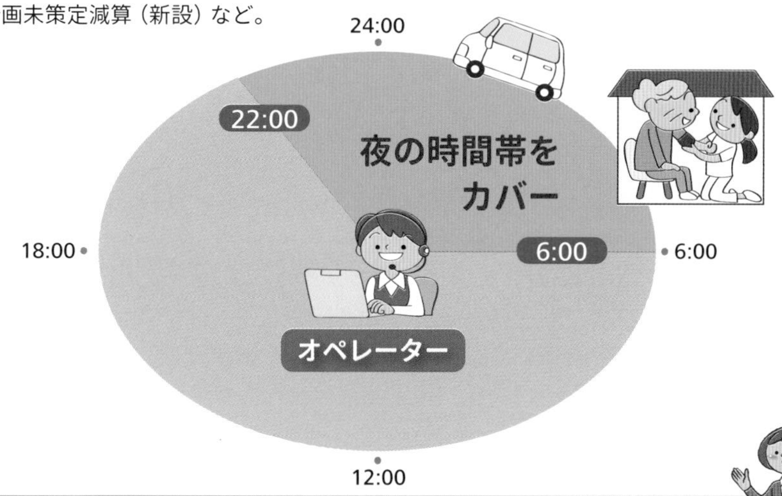

夜間に使える3つの訪問サービス

夜間対応型訪問介護は、在宅介護の大きな味方になるサービスです。日中帯の訪問介護と組み合わせることで、24時間をカバーできます。夜間に対応するものとしては、次の3つのサービスがあります。

- 通常の訪問介護の早朝・夜間・深夜帯のサービス
- 定期巡回・随時対応型訪問介護看護
- 夜間対応型訪問介護

利用者にとってどのサービスを使うのがよいのか、ケアマネジャーはそれぞれの使い勝手を知っておきましょう。

夜間対応型訪問介護

不安な夜間に心づよい味方

サービス事業所から提供される専用のケアコール機で、深夜でもオペレーターが直接対応します。夜間に体調などに不安を感じた時などにも利用できます。

特徴 夜間の決まった時間帯の訪問と、コールでの緊急時の対応ができます。

- 一人暮らし、老老介護で要介護度が高くなっても、自宅で暮らせる
- 夜中でもオペレーターとつながるので安心
- ご家族に代わって夜間の介護をサポート。ご家族が夜間はゆっくり休める

いくらかかる?

事業所の形態（オペレーションセンターの設置の有無）で値段が変わります。

1カ月の定額制と基本サービス費＋訪問回数の合計の場合があります。利用する事業所がどちらのタイプか確認しておきましょう。

	オペレーションセンター設置あり	オペレーションセンター設置なし（1カ月あたり）
基本サービス（1カ月）	989円	2,702円
定期巡回サービス（1回）	372円	
随時訪問サービス（1回）	567円	
訪問介護員2人対応（1回）	764円	

サービス利用のポイント

定期的なサービスの内容

あらかじめ決められた計画に沿って、介護スタッフが訪問します。

- 訪問介護：排泄、食事、起床・就寝などの介助、安否確認など

随時行うサービスの内容

- 専用のケアコール端末を自宅に設置して、オペレーターが即時に対応
- 転倒して動けない、排泄の失敗など、状態に応じて介護スタッフが自宅を訪問

メリット

- 夜間の排泄介助や就寝介助に来てもらえる
- 夜間、体調などに不安を感じた時に、オペレーターとすぐつながる
- 夜間の緊急（転倒など）の時、サポートが受けられる
- ご家族が仕事で夜間帰りが遅くなる場合などでもスポット的に利用できる

デメリット

- ×オペレーションセンターが設置されている事業所では、随時サービスを利用するごとに料金が上がる。回数が多いと支給限度基準額を超えることもある
- ×事業所が住まいのある市町村にないと使えない（例外がある場合も）

夜間帯に利用できる訪問介護は 3 種類

それぞれに特徴があります。どのサービスが適切かは、ケアマネジャーとよく相談して検討してみてください。

サービスの種類	支払い方式	対応できる時間	その他特徴
訪問介護	出来高制	ほとんどが昼間の利用だが、事業所によっては夜間対応ができることもある	ごく一般的な居宅サービス。夜間の対応が必要な場合はサービスが不足することが多い
夜間対応型訪問介護	出来高制	夜間帯（22時～6時）に対応できる	定期巡回と、必要に応じて随時の要請にも対応できる
定期巡回・随時対応型訪問介護看護	定額制	24時間いつでも対応できる	定期巡回と、必要に応じて随時の要請にも対応できる。看護師が対応できる事業所も多い

15 小規模多機能型居宅介護

地域密着型サービス

自宅にいながら、施設と同等のケアが受けられるサービス。

対象▶ 要介護 1 2 3 4 5 要支援 1 2

どんなサービス？

地域包括ケアを進めるサービスとして創設されました。在宅で最期まで暮らせるように24時間365日を１つの事業所で支えます。「通い」を中心に「訪問」「宿泊」サービスを利用者の状態に合わせて臨機応変に組み合わせられます。

小規模多機能型居宅介護の特徴

- 小規模：登録者は29人以下なので、スタッフともなじみの関係が作れる
- 多機能：「通い（デイサービス）」「訪問（ホームヘルプ）」「宿泊（ショートステイ）」を組み合わせて使える
- 地域密着：生活圏域（おおむね中学校区）に設置され、地域の関係者による運営推進会議がセットされている

３つのサービスを柔軟に使いこなす

1	**通い：時間も曜日（回数）も自由**	通所介護のようにあらかじめ決められた曜日・時間しか利用できないのではありません。１日の定員枠を超えなければ、お昼だけ食べに行くなどその日の気分で自由に使えます。緊急時にも対応できます。
2	**訪問：回数・時間・内容に制限なし**	１日に何度でも、夜中でも利用できます。「通い」から自宅まで送り届けるついでに買い物に同行したり、就寝の介助をしたりと柔軟に使えます。
3	**宿泊：必要な時、突然でも利用可**	ショートステイは慣れるまで大変という話も聞きます。でも、通い慣れた場でなじみのスタッフと過ごせます。空きがあれば緊急の時でも利用できます。

単位表

例えば、サービス付き高齢者向け住宅、軽費老人ホームに住んでいる利用者が同じ建物内にある小規模多機能型居宅介護を利用する場合と、そうでない場合で変わります。

●同一建物に居住していない場合の基本サービス費（１カ月）

要介護度	単位
要支援1	3,450
要支援2	6,972
要介護1	10,458
要介護2	15,370
要介護3	22,359
要介護4	24,677
要介護5	27,209

●同一建物に居住している場合の基本サービス費（１カ月）

要介護度	単位
要支援1	3,109
要支援2	6,281
要介護1	9,423
要介護2	13,849
要介護3	20,144
要介護4	22,233
要介護5	24,516

加算 基準を上回る看護職員の配置／看取り期の連携体制の構築／特別地域加算／中山間地域でのサービス提供／認知症者へのサービス提供／訪問サービスの提供体制強化／包括サービスとしての総合的なマネジメント／介護職員処遇改善加算／認知症行動・心理症状緊急対応加算／市町村独自の加算など。

減算 定員超の利用・人員配置基準に違反／サービス提供の過小／身体拘束廃止未実施減算（新設）／高齢者虐待防止措置未実施減算（新設）／業務継続計画未策定減算（新設）／生産性向上推進体制加算（新設）など。

小規模多機能型居宅介護のイメージ

なじみのスタッフが、「通い」「訪問」「宿泊」をカバーします。

地域の中で特別養護老人ホームにいるようなサービスを受けならが、暮らせるのがこのサービスといわれています。

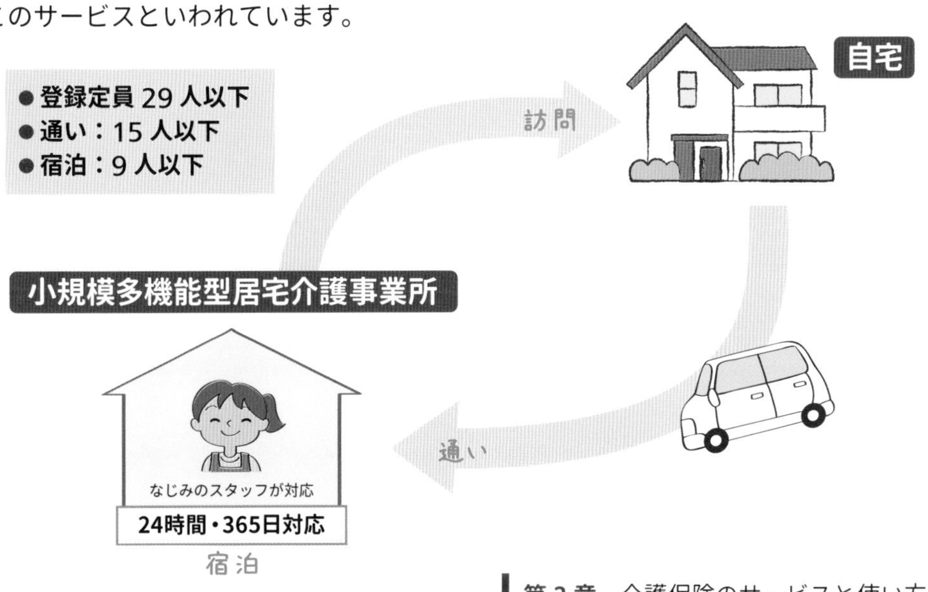

サテライト型とは

サテライトとは衛星という意味で、文字どおり本体事業所のまわりにより小規模の事業所を開設することです。

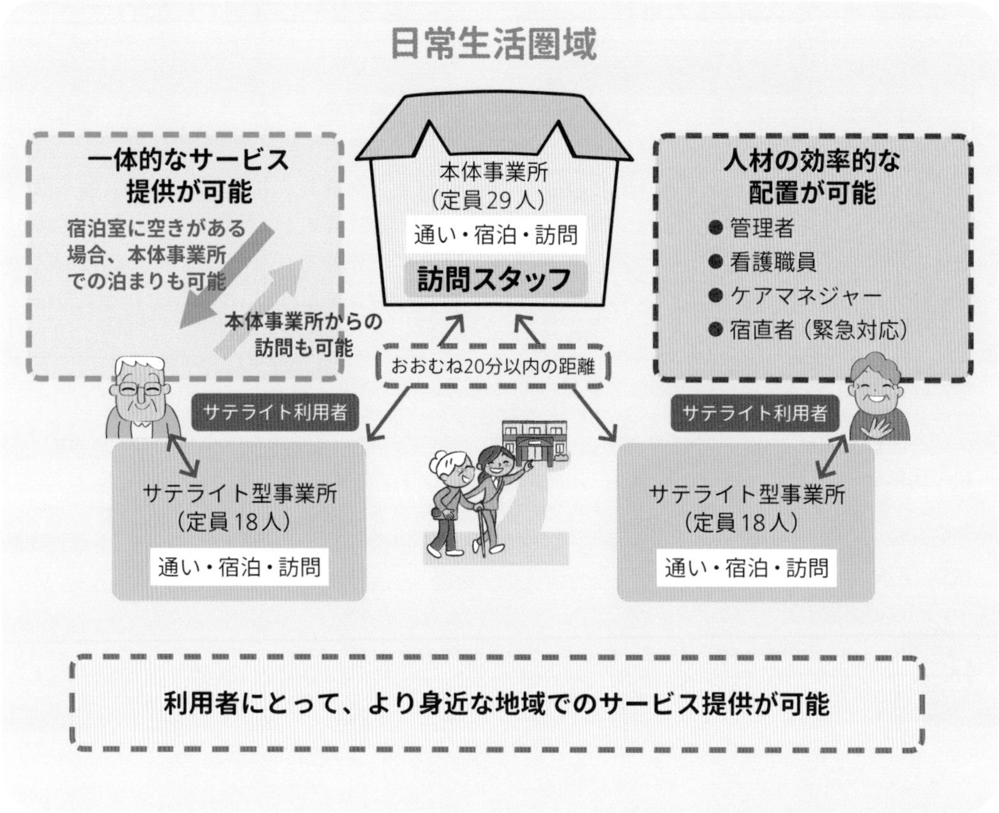

出典：厚生労働省資料

同時に使えるサービス

小規模多機能型居宅介護の利用者であっても、以下のサービスは同時に使えます。ただし、これらは居宅サービスとして受けることになります。

- 訪問看護
- 訪問リハビリテーション
- 居宅療養管理指導
- 福祉用具貸与

ワンポイントアドバイス

一定の要件を満たせば 登録者以外もショートステイが使える

小規模多機能型居宅介護事業所の登録定員に空きがある場合で、緊急やむを得ない場合などの一定の要件を満たした場合に限り、原則として７日間だけ限定的に利用できます。
この場合は、従来の居宅のケアマネジャーがケアプランを立てます。介護予防・看護小規模多機能型居宅介護も同様です。
利用者の住まいの近くに小規模多機能型居宅介護事業所がある場合は、日頃から顔見知りになっておくと、いざという時役立ちます。

● １日あたりの単位数（小規模多機能型の場合）

要介護度	単位
要支援1	424
要支援2	531
要介護1	572
要介護2	640
要介護3	709
要介護4	777
要介護5	843

コラム

小多機はケアマネの果たす役割が非常に重要

小規模多機能型居宅介護はサービスの組み合わせの幅が広いので、利用者のニーズを適切に把握できるかどうかで、利用者の生活がよくも悪くも大きく変わります。つまり、ケアマネジャーの手腕が試されるサービスといえるのです。

神奈川県にある小規模多機能型居宅介護事業所では、ケアマネジャーがアセスメントの時点で利用者の職歴や趣味、得意なことなどまで細かく伺い、通所での活動内容に生かしてもらっています。また、自宅での食事内容が整わないことに気が付き、ケアプランを変更して通所の帰りに訪問を入れ、帰りがけに職員と利用者で一緒にスーパーに買い出しに行くこともあるそうです。

アセスメントが不十分だと、多くの事業所は通所に偏りがちになってしまいます。利用者のニーズを適切に把握し、訪問や宿泊も上手に組み合わせたいものです。

小規模多機能型居宅介護

自宅に住みながら施設並みの安心を

住み慣れた自宅・地域にいながら、「通い」「訪問」「宿泊」を1つの事業所から受けられます。24 時間 365 日、気にかけてくれるので安心です。「小多機（しょうたき）」とも呼ばれます。

特徴 必要なサービスを受けながら、自宅で最期まで過ごせます。

- 決められた曜日や時間でなくても利用ができる
- ホームヘルプの回数や時間も制限がない
- 小規模なので、スタッフや利用者ともなじみやすい

いくらかかる?

1カ月の定額制です。自宅から事業所を利用する場合のおおよその料金は右のとおりです。

要介護度	金額
要支援1	3,450円
要支援2	6,972円
要介護1	10,458円
要介護2	15,370円
要介護3	22,359円
要介護4	24,677円
要介護5	27,209円

自己負担のもの	
●食事代	●おむつ代
●宿泊費	●娯楽費　など

サービス利用のポイント

- １事業所のみの登録で、訪問、通所、宿泊のサービスを受けることができます。
- 小規模多機能型居宅介護のケアマネジャーがケアプランを作成します。

メリット

- 窓口が1つなので、手続きが簡単
- 定額制なので利用時間が増えても安心
- それぞれのサービス時になじみのスタッフが対応するので安心
- ご本人やご家族の状態に合わせて臨機応変にサービスを変更できる
- 自宅で生活しながらサービスを受けられるので、地域との交流を継続できる

デメリット

- ×今までの居宅のケアマネジャーを変えなくてはならない
- ×他のデイサービスや今まで使っていたホームヘルプが使えなくなる
- ×サービスに不満があっても、その部分だけを変更することはできない
- ×泊まりが増えると料金が上がる

こんなふうに暮らせます

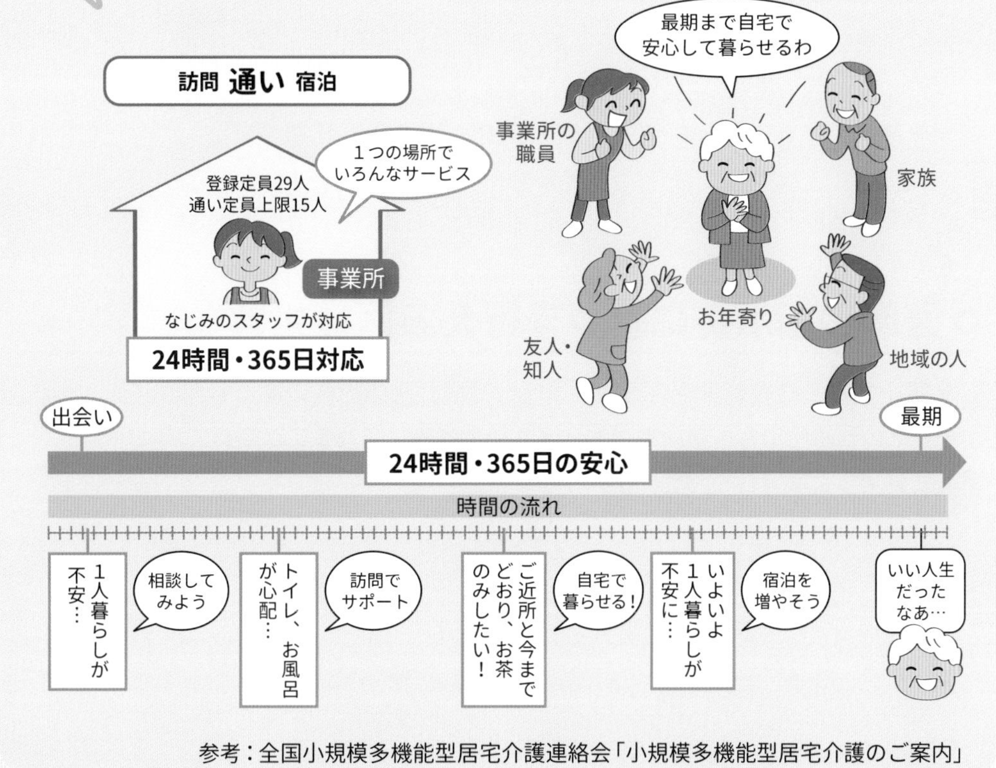

参考：全国小規模多機能型居宅介護連絡会「小規模多機能型居宅介護のご案内」

16 看護小規模多機能型居宅介護

医療ニーズの高い高齢者の在宅療養生活を支えるサービス。

対象▶ 要介護 1 2 3 4 5 要支援 1 2

どんなサービス？

基本サービス（通い・訪問・宿泊）は小規模多機能型居宅介護と同様ですが、小規模多機能型居宅介護ではカバーできなかった医療的ケアの必要な利用者に、訪問看護を行うことで、24時間365日を１つの事業所で支えます。

看護小規模多機能型居宅介護の特徴

- 退院直後の在宅生活へのスムーズな移行
- がん末期等の看取り期、病状不安定期における在宅生活の継続
- 家族に対するレスパイトケア、相談対応による負担軽減

医師の指示書に基づき行える医療処置など

看護小規模多機能型居宅介護の大きな特徴は、医師の指示書のもとに、通いや宿泊サービスの利用時にも、看護職員から医療処置を受けられることです。

対応できる医療処置等の例

- ストーマ（人工肛門）、経管栄養（鼻腔・胃ろう）、カテーテル類の交換、在宅酸素、インスリン注射、褥瘡の処置
- 嚥下のリハビリ、移乗・移動のリハビリ、歩行のリハビリ
- 認知症の症状への看護や相談
- 終末期の苦痛の緩和、看取り　など

単位表

小規模多機能型居宅介護と同様に、利用者が同一建物に居住の場合とそうでない場合で異なります。

要介護度	同一建物に居住していない場合（単位）	同一建物に居住している場合（単位）
要介護1	12,447	11,214
要介護2	17,415	15,691
要介護3	24,481	22,057
要介護4	27,766	25,017
要介護5	31,408	28,298

減算 訪問看護体制減算数／定員超の利用・人員配置基準に違反／サービス提供の過小など。

加算 訪問看護体制強化加算／緊急時訪問看護加算／訪問体制強化加算／若年性認知症利用者受入加算／介護職員処遇改善加算／認知症行動・心理症状緊急対応加算／特別地域加算／中山間地域等における小規模事業所加算／口腔・栄養スクリーニング加算／栄養アセスメント加算／褥瘡マネジメント加算／排泄支援加算／身体拘束廃止未実施減算（新設）／高齢者虐待防止措置未実施減算（新設）／業務継続計画未策定減算（新設）／専門管理加算（新設）／遠隔死亡診断補助加算（新設）／生産性向上推進体制加算（新設）など。

サービスの特徴と体制

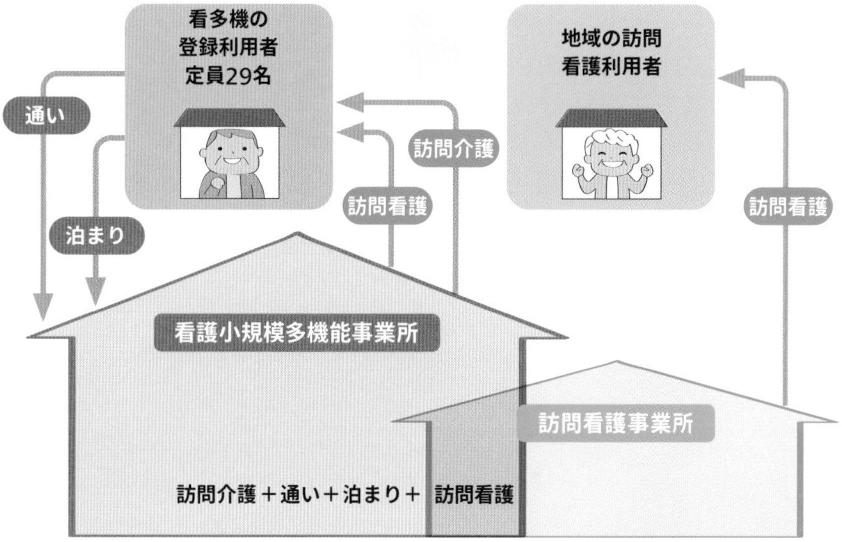

出典：日本看護協会「看多機事業所開設のご案内ーいつもの暮らしを支えるために」

サービス提供体制

登録者	29人以下
通所定員	18人（1日）
宿泊定員	9人
登録者以外の利用	指定訪問看護事業所の指定を受けていれば登録者以外の地域住民にも訪問看護を提供できる（医師の指示書が必要）
ケアプラン	看護小規模多機能型居宅介護の計画作成担当者（ケアマネジャー）が作る

看護小規模多機能型居宅介護

医療ケアが必要でも自宅で安心

在宅酸素、インスリン注射、気管カニューレ等の管理などの医療処置が必要な人も自宅で過ごせるサービス。自宅に訪問（介護・看護）スタッフが来るだけでなく、デイや宿泊も1つの事業所で行います。「看多機（かんたき）」とも呼ばれます。

看護小規模多機能型居宅介護事業所　　**自宅**

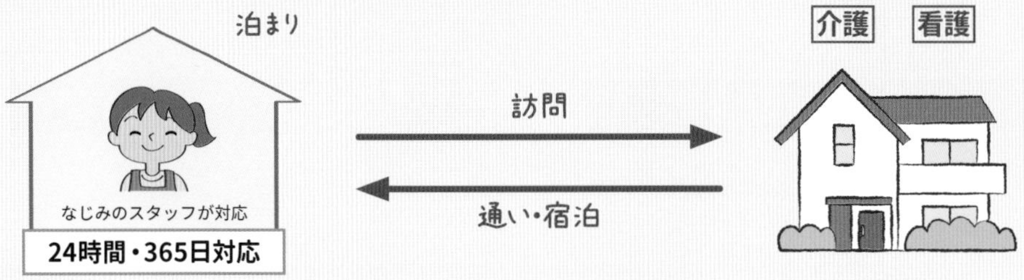

特徴 小規模多機能型居宅介護に「看護」が加わったサービスです。

- 日中の通いの場に看護職員がいる
- 訪問看護が状態に応じて必要なだけ受けられる
- 訪問介護と訪問看護を一体的に受けられる

いくらかかる？

1ヵ月ごとの定額制です。

要介護度	同一建物に居住していない場合	同一建物に居住している場合
要介護1	12,447円	11,214円
要介護2	17,415円	15,691円
要介護3	24,481円	22,057円
要介護4	27,766円	25,017円
要介護5	31,408円	28,298円

自己負担のもの

- 食事代
- おむつ代
- 宿泊費
- 娯楽費

など

サービス利用のポイント

- 1事業所のみの登録で訪問（介護・看護）・通所・泊まりのサービスを受けることができます。
- 看護小規模多機能型居宅介護事業所のケアマネジャーがケアプランを作成します。

メリット

- 窓口が1つなので手続きが簡単
- 複数のサービスを利用する場合も連絡がとりやすい
- それぞれのサービス時になじみのスタッフが対応するので、安心
- ご利用者、ご家族の都合に合わせて臨機応変にサービスを変更できる
- 定額制なので、利用時間が増えても安心
- 自宅でサービスを受けられるので、地域との交流を継続できる

デメリット

× 事業所を変更することになるので、それまでの関係が途切れるおそれがある
× 小規模多機能型居宅介護や訪問看護に比べると利用料が上がる
× サービスに不満があっても、その部分だけを変更することができない

こんなふうに暮らせます

退院後に自宅へ

娘と２人暮らしのＡさん
（85歳、女性、要介護度5）

疾患： 認知症・糖尿病・脳梗塞
医療的ケア： 気管カニューレ管理・吸引・排痰援助・在宅酸素・血糖測定・インスリン注射・膀胱留置カテーテル管理・胃ろう管理と注入・リハビリテーション・褥瘡処置

Ａさんの１週間	
月	訪問看護／訪問介護／訪問看護
火	訪問看護／通所／訪問看護
水	訪問看護／訪問介護／訪問看護
木	訪問看護／通所／泊り
金	訪問看護／訪問介護／訪問看護
土	訪問看護／通所／訪問看護
日	訪問看護／訪問介護／訪問看護

脳梗塞で入院中、寝たきりの状態で話すこともできない状態のまま退院を迫られたＡさん。連日の訪問看護で娘さんに少しずつ介護の指導を行い、１カ月後には、生活が安定してＡさんに笑顔がみられるようになりました。

17 認知症対応型共同生活介護（グループホーム）

地域密着型サービス

認知症の高齢者が少人数で共同生活する施設。

対象▶ 要介護 1 2 3 4 5 要支援 1 2

どんなサービス?

認知症の人が少人数で落ち着いた環境の中で生活できるように、認知症に特化した介護サービスとして創設されました。

施設数は増加していますが、ここ数年は増加幅が縮小しています。

入所基準	・要支援２～要介護５ ・事業所のある市区町村に住民票があること ・認知症の医師の診断書
サービス内容	・食事、入浴、排泄等の介助、レクリエーションなど
設備等の基準	・１事業所あたり２ユニット以下（３ユニットの例外あり） ・１ユニットの定員は５人以上９人以下
ケアプラン	グループホームの計画作成担当者が作成（ユニットごとに１人配置、最低1人はケアマネジャー有資格者）
その他	・一定の基準を満たせば30日以内の短期利用（ショートステイ）サービスを提供できる

○費用

介護サービス費（単位／日）

1ユニットと2ユニット以上で、介護サービス費が変わります。

要介護度	認知症対応型共同生活介護		短期利用共同生活介護	
	1ユニット（単位）	2ユニット（単位）	1ユニット（単位）	2ユニット（単位）
要支援2	761	749	789	777
要介護1	765	753	793	781
要介護2	801	788	829	817
要介護3	824	812	854	841
要介護4	841	828	870	858
要介護5	859	845	887	874

加算 初期加算：医療連携体制加算（Ⅰ～Ⅲ）／入院時費用について／生活機能向上連携加算／口腔・栄養スクリーニング加算／科学的介護推進体制加算／入浴介助加算／ADL維持等加算／協力医療機関連携加算（新設）／退居時情報提供加算（新設）／認知症チームケア推進加算（新設）／高齢者施設等感染対策向上加算（新設）／新興感染症等施設療養費（新設）／生産性向上推進体制加算（新設）など。

減算 身体拘束廃止未実施減算／高齢者虐待防止措置未実施減算（新設）／業務継続計画未策定減算（新設）など。

月額費用の目安

介護サービス費のほかに、居住費（室料）、食費、日常生活費など（P137参照）がかかります。

以下は、2ユニットの事業の場合の介護サービス費（1割負担）も含めた月額費用の目安です。居住費は都市部ほど高くなる傾向があります。

要介護度	要支援2	要介護1	要介護2	要介護3	要介護4	要介護5
介護サービス費	22,470円	22,590円	23,640円	24,360円	24,840円	25,350円
居住費	50,000円／月					
食費	44,000円（おやつ込　1,445円／日）					
水道光熱費	20,000円／月					
管理費（共益費）	15,000円／月					
日用品費	6,000円（200円／日）					
合計	157,470円	157,590円	158,640円	159,360円	159,840円	160,350円

このほかに、入居一時金や、おむつ代など自己負担の費用がかかります。入居一時金は事業所によって異なります。償却期間、償却率も施設が独自に定められるので、事前確認が必要です。

グループホームで訪問看護を利用する場合

近年、医療連携が強化されています。グループホームの入居者は、介護保険、医療保険の訪問看護を利用できます。どちらの場合も主治医との連携は不可欠です。

介護保険の訪問看護

- グループホームと訪問看護ステーションの契約が必要（グループホームが医療連携体制加算を算定して訪問看護ステーションに支払う）

医療保険の訪問看護

- 次のいずれかの場合：①特別訪問看護指示書の期間、②がん末期等、厚生労働大臣が定める疾病等の場合。

コラム

あの手この手、その目も入れて地域資源

デイサービスや訪問介護などを使いたくても、本人が嫌がったりして利用につながらないことがあります。特に認知症の人の場合、家族も共倒れ寸前というギリギリで生活していることがよくあります。グループホームに入るまでを地域の力でしのいだベテランケアマネジャーの知恵を紹介します。

●娘の友人に頼んで安否確認

元茶道の師匠の女性（80代）。デイサービスを利用していましたが、数カ月で中止に。他人を受け入れないため、娘の友人に訪問してもらうように依頼。「娘さんに用事があって来た」と言って、安否確認を。「お茶のお稽古で」と立ち寄ることもありました。初めてヘルパーが入る時も娘の友人と名乗り、家に上げてもらいました。

●ボランティアでローテーション

商店主だった80代の男性。すでに閉店しているのに「お客が来るから」と、デイサービス利用中に帰ろうとするため利用を中断。そこでボランティアセンターに依頼。近隣の住民を装って、お客と称して訪問してもらい、世間話の中で世話や安否確認を。ケアマネジャー自身も「昔、この先に住んでいた○○です。お世話になったので」と週１で訪問。

2024改正 主な新設の加算について

協力医療機関連携加算	（Ⅰ）100単位／月 （Ⅱ）40単位／月	協力医療機関との間で、利用者の同意を得て、当該利用者の病歴等の情報を共有する会議を定期的に開催している場合
退居時情報提供加算	250単位／回	利用者が退居して医療機関に入院する場合に、その利用者の同意を得て、心身の状況、生活歴等の情報を医療機関に提供した上で利用者の紹介をした場合
認知症チームケア推進加算	（Ⅰ）150単位／月 （Ⅱ）120単位／月	認知症の行動・心理症状の予防及び出現時の早期対応に資するチームケアを提供した場合
高齢者施設等感染対策向上加算	（Ⅰ）10単位／月 （Ⅱ）5単位／月	老健局長が定める様式による届出を行った事業所が、利用者に対して指定認知症対応型共同生活介護を行った場合
新興感染症等施設療養費	240単位／日 （5日が限度）	利用者が厚生労働大臣が定める感染症に感染した場合に相談対応、診療、入院調整等を行う医療機関を確保し、かつ、当該感染症に感染した利用者に対し、適切な感染対策を行った上で介護を行った場合

ワンポイントアドバイス

なかなか入居できない？
グループホーム入居の難易度

全国どこにでもあるグループホームですが、１事業所18人以下の定員になることと、利用者の住んでいる地域の施設でないと入居できないため、なかなか入居できないという現実があるようです。

すぐに入居できない場合は、以下の資源の利用などを念頭におくとよいでしょう。

- 小規模多機能型居宅介護（P120）や認知症対応型通所介護（P77）などの利用
- 介護保険サービスだけでなく、地域にある見守り型の有償サービスや宅老所などの利用

本人の意向に沿って、認知症の人の生活を支えるプランづくりが求められます。入居までをどのようなサービスでつなぐかを考えるのもケアマネの腕のみせどころです。

認知症対応型共同生活介護（グループホーム）

認知症高齢者が少人数で共同生活を送る

認知症の高齢者が、できるだけ自立した生活を送れるよう支援を受けながら共同生活を送ります。

こんなところで暮らします

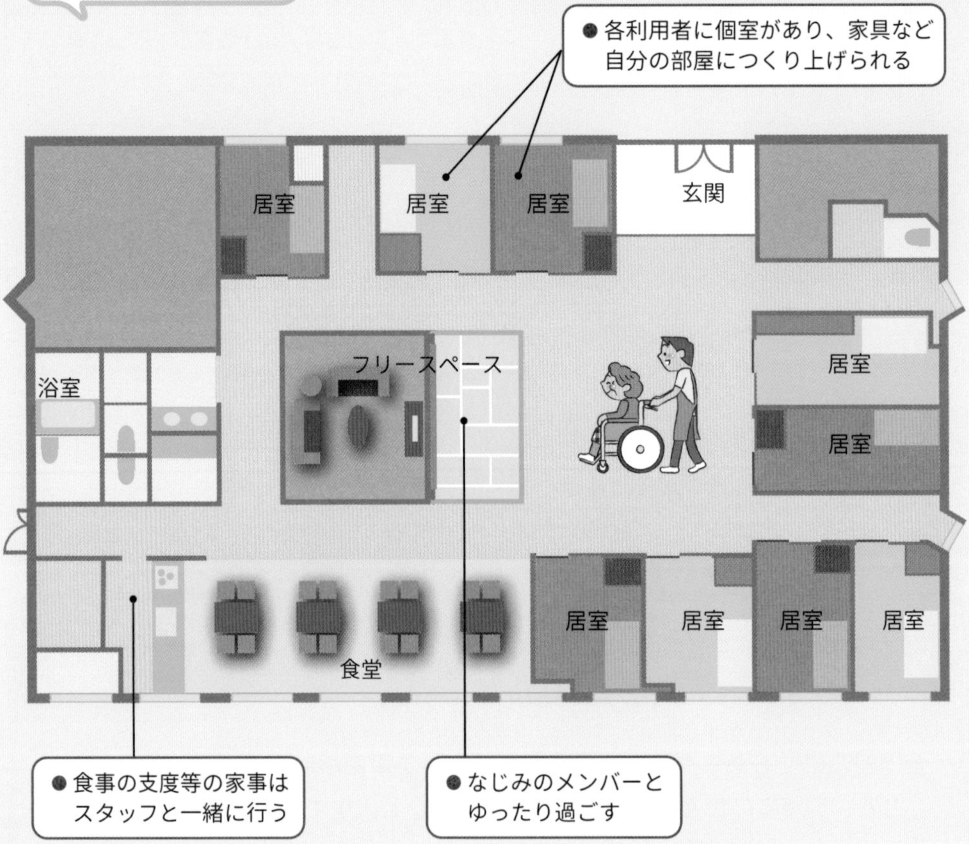

特徴 認知症専門の訓練を受けたスタッフがお世話します。

- １フロア５～９人の少人数で、家庭のような暮らしが送れる
- 個室なので、今まで使っていた家具などを持ち込める
- 認知症の人が不安にならないような環境づくりがされている

いくらかかる？

右の表のほかに入居時に一時金などがかかります。数百万円かかることもあるので、事前に事業所によく確認しましょう。

要介護度	介護サービス費	
	1ユニット	2ユニット
要支援2	22,830円	22,470円
要介護1	22,950円	22,590円
要介護2	24,030円	23,640円
要介護3	24,720円	24,360円
要介護4	25,230円	24,840円
要介護5	25,770円	25,350円

＋

自己負担の目安
135,000円
●部屋代 ●食費 ●共益費 ●水光熱費 ●日用品代 など

サービス利用のポイント

メリット

- 認知症の介護を安心してまかせられる
- 「できること」に注目して、役割づくりをしてくれる
- なじみの関係ができやすいので安心感が生まれる
- 今までしていた家事なども行いながら介護を受けるので認知症の進行が緩やかになる可能性がある

デメリット

- ×施設のケアマネジャーが担当になるため、今までの居宅のケアマネジャーを代えなくてはならない
- ×医療度が高くなると退居となってしまう場合もある
- ×他の人とのトラブルがあった場合、逃げ場が少ない

終の住みかになるの？

グループホームに入居できても、そこが終の住みかになるとは限りません。医療との連携は強化されていますが、実際に事業所によってずいぶん差があるようです。看取りまで対応しているところもある一方、寝たきりになったり、共同生活が難しくなったりすると退居することを条件にしているところもあります。

施設に事前に確認しておくとよいこと

- 看取りケアをしているか？
- 医療度が高くなった場合とは、具体的にどういう場合か？
- 入院が必要になった場合は、どのくらいまで部屋を確保してくれるのか？
- 通院時の送迎はしてくれるのか？　　など

18 介護老人福祉施設（特別養護老人ホーム）

施設サービス

認知症の高齢者が少人数で共同生活する施設。

対象▶ 要介護 1 2 **3 4 5** 要支援 1 2

どんなサービス？

自宅での生活が困難になった時に利用する入所施設です。施設には介護福祉士、看護師など介護・看護の専門職が配置されており、食事・入浴・排泄など生活に必要な介護を24時間365日、受けることができ、「終の棲家」ともいわれています。

入所条件

利用は先着順ではなく、施設が開催する判定会議で、必要度を考慮して決まります。

判定会議で考慮される条件

- 65歳以上である
- 要介護度が３以上である（要介護２以下の人が入所できる特例要件もある）
- 単身、家族が病弱であるなど、自宅での生活が困難である

申し込み

希望の施設が複数ある場合は、施設ごとに申し込みが必要です。

必要な書類

- 入居・入所申込書
- 介護保険証（住んでいる地域の施設の場合は窓口に提示／住んでいる地域以外の施設はコピーが必要）
- 直近3カ月間に利用したサービスの利用票別表のコピー

費用

入所一時金は不要ですが、以下の費用が毎月かかります。

介護サービス費	介護を受けるためにかかる費用。要介護度別の基本報酬に加えて施設のケア体制による加算、居室のタイプ、地域などにより金額は変わる
居住費	家賃にあたる費用。居室のタイプで異なり、多床室、従来型個室、ユニット型個室的多床室、ユニット型個室の順に高くなる
食費	一律１日1,445円
日常生活費	医療費、理美容代、嗜好品の購入など

介護サービス費

●従来型個室

要介護度	単位／日
要介護1	589
要介護2	659
要介護3	732
要介護4	802
要介護5	871

●ユニット型個室

要介護度	単位／日
要介護1	670
要介護2	740
要介護3	815
要介護4	886
要介護5	955

加算 配置医師緊急時対応加算／科学的介護推進体制加算（Ⅰ・Ⅱ）／看取り介護加算／生活機能向上連携加算（Ⅰ・Ⅱ）／褥瘡マネジメント加算／ADL維持等加算／自立支援促進加算など。

減算 高齢者虐待防止措置未実施減算（新設）／業務継続計画未策定減算（新設）

居室のタイプ

多床室(従来型)

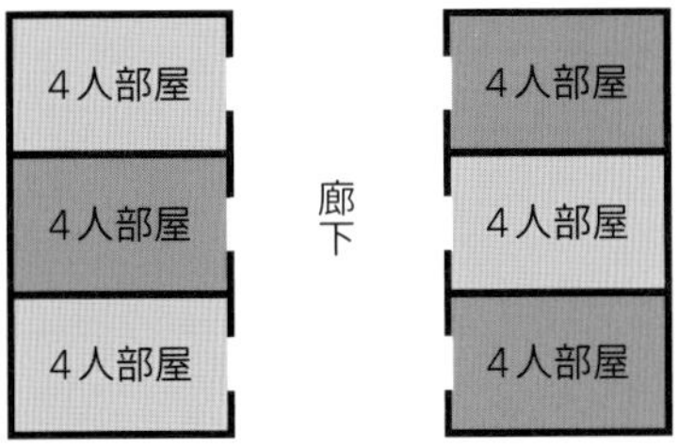

● １居室４人の相部屋。食堂・トイレ・浴室などは共用。

従来型個室

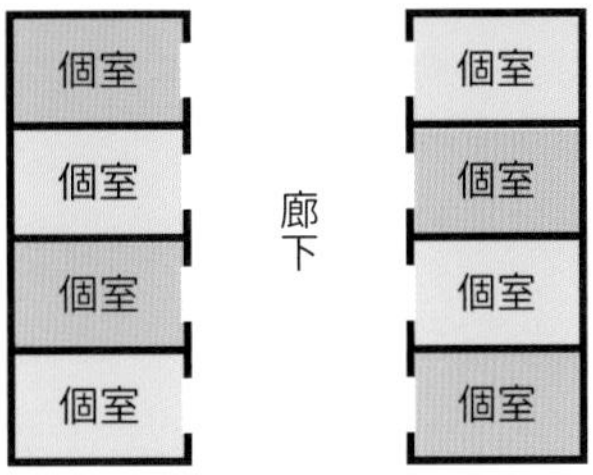

● 居室は個室。食堂・トイレ・浴室などは共用。

ユニット型個室的多床室

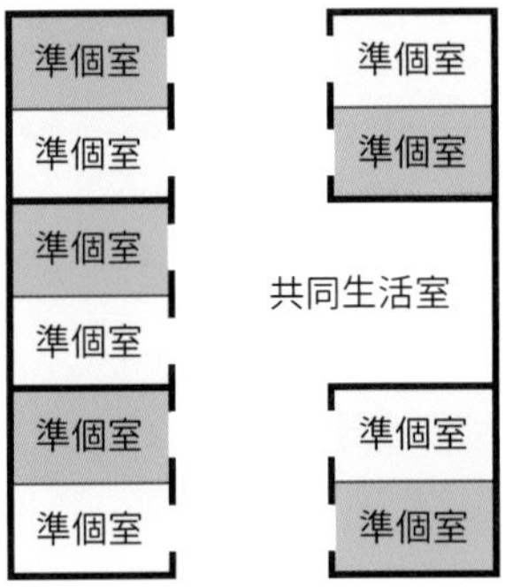

← 家具等の可動の壁は不可 天井との間に一定のすき間が生じても可

● 居室間が可動しない間仕切りで区切られているタイプ。ユニットでトイレ・食堂・浴室などを共用。

ユニット型個室

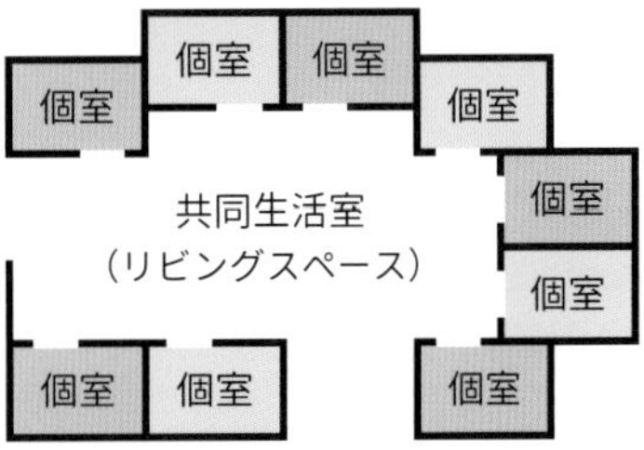

● １ユニット（10程度の個室）で食堂・浴室などを共用。トイレは個室内にあるタイプと少人数で共用するタイプ。

○ 費用の負担軽減

所得が少ない人が施設を利用できるよう、所得に応じて費用の軽減措置があります。

設定区分	対象者
第１段階	生活保護者等、世帯全員が市町村民税非課税で、老齢福祉年金受給者
第２段階	世帯全員が市町村民税非課税で、本人の公的年金収入額＋合計所得金額が 80 万円以下
第３段階	世帯全員が市町村民税非課税で、本人の公的年金収入額＋合計所得金額が 80 万円超
第４段階	市区町村民税課税世帯

※預貯金が単身者 1,000 万円、夫婦世帯 2,000 万円を超える場合は対象外

市町村民税課税世帯（第 4 段階）における食費・居住費の特例減額措置

施設入所前に 2 人以上の世帯で、施設の費用を払うことで利用者以外の人の生活が圧迫される場合は居住費・食費を減額する特例があります。

- 利用者負担第 4 段階の食費・居住費を負担していること。
- 世帯全員の年金収入額と合計所得金額の合計から施設の利用者負担（1 割負担、居住費・食費の年額合計）を差し引いた額が 80 万円以下となること
- 世帯の現金、預貯金等が 450 万円以下であること
- 居住する家屋など日常生活に必要なもの以外に資産がないこと
- 介護保険料 (第 1 号被保険者)、国民健康保険料等（第 2 号被保険者）の滞納がないこと

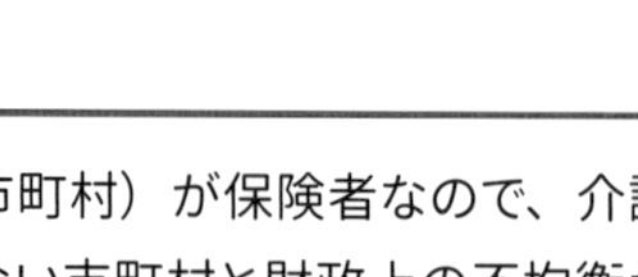

○ 住所地特例

原則として住民票のある市町村と東京特別区（以下、市町村）が保険者なので、介護保険施設が多い市町村は介護保険給付費が増大し、少ない市町村と財政上の不均衡が生じます。こうした事態を回避するために設けられているのが住所地特例です。入所時に住民票を施設がある市町村に移しても、移す前の市町村に引き続き保険料を支払い、以前居住していた市町村から引き続き介護保険給付を受けます。

地域密着型介護老人福祉施設入所者生活介護

地域密着型介護老人福祉施設入所者生活介護は、入所定員が29人以下の小規模な介護老人福祉施設で、利用施設と同一の市町村に住んでいる人が対象です。

入所条件やサービス内容は介護老人福祉施設と同様で、サテライト型と単独型の2つに分けられます。

サテライト型	定義	定員が30人以上の介護老人福祉施設などを本体施設として、別の場所で運営される施設
	対象	本体施設から原則20分以内の場所、設置されている市区町村に住んでいる人
	基準	本体施設に比べて基準が緩和。医師・生活相談員・栄養士・機能訓練指導員・ケアマネジャーを配置する必要なし。調理室の代わりに簡易な調理設備可
単独型		居室などの設備や介護サービス、入所条件は介護老人福祉施設と同様だが、サテライト型とは違い本体施設がないため、少人数でアットホームな雰囲気が特徴。多いのは、リビングを中心に個室が配置されているユニット型タイプ

費用

入所一時金は不要です。毎月支払う費用の内訳は介護老人福祉施設と同様ですが、介護サービス費は若干高めに設定されています。

介護サービス費

● 従来型個室

要介護度	単位／日
要介護1	600
要介護2	671
要介護3	745
要介護4	817
要介護5	887

● ユニット型個室

要介護度	単位／日
要介護1	682
要介護2	753
要介護3	828
要介護4	901
要介護5	971

介護サービス以外の費用
● 居住費　● 食費 ● 日常生活費 など

介護老人福祉施設（特別養護老人ホーム）

介護がメインの生活支援施設

特別養護老人ホーム、特養ホームとも呼ばれる公的な施設で、介護などで自宅での生活が困難になった時に利用する入所施設です。

特徴 原則、要介護 3 以上で 65 歳以上の高齢者が入居する施設です。

- 初期費用が不要で、月額利用料が比較的安価
- 状態が落ち着いている高齢者の生活施設なので、レクリエーションなどが充実
- 終身利用が可能で、看取りを行う施設も増えている

介護老人福祉施設の1日

スタッフと一緒に食事を作ったり、夜間の入浴を実施したり、夕食の時間を遅くするなど、ご利用者の豊かな暮らし創造のために施設がさまざまな工夫をしています。

ここでは、一般的な介護老人福祉施設の1日を紹介します。

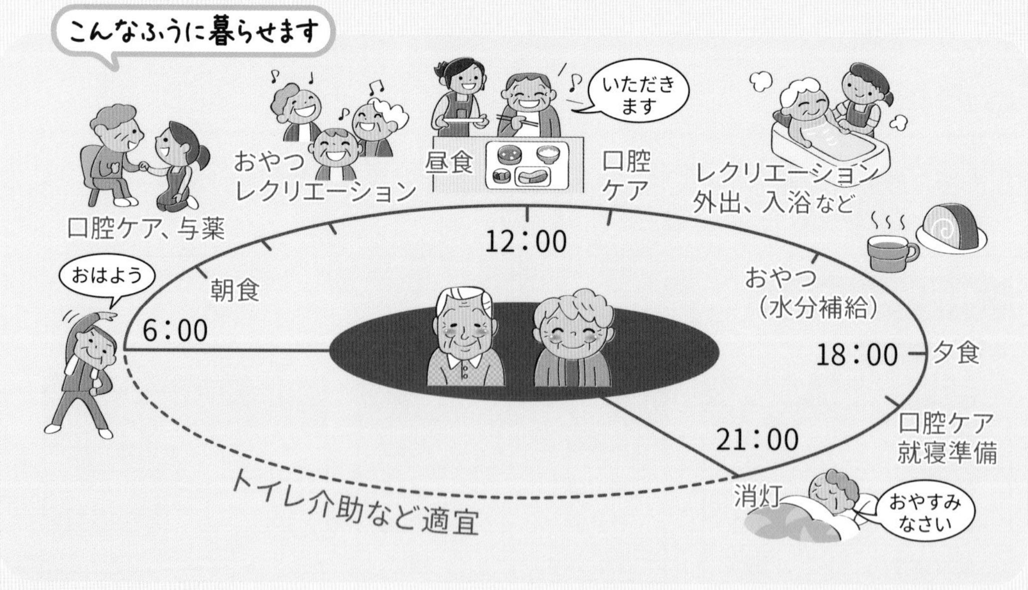

いくらかかる？

介護老人福祉施設の居室は4つのタイプがあり（P137 参照）、タイプに応じて費用が変わります。さらに、要介護度・地域・収入によっても費用は変わります。

また、看取りやリハビリ（機能訓練）など、より手厚いサービスを受けることで料金が加算されることもあります。

右は、モデル的ケースの費用です。

●従来型個室・要介護度３
１割負担・１単位 10 円の場合（１カ月）

介護サービス費	居住費	食費	合計
21,960円	36,930円	44,000円	102,890円

※多床室の居住費は施設ごとに異なります

●ユニット型個室・要介護度３
１割負担・１単位 10 円の場合（１カ月）

介護サービス費	居住費	食費	合計
24,450円	61,980円	44,000円	130,430円

見学に行ってみよう

日常の過ごし方は、レクリエーションに力を入れている施設、リハビリテーションに力を入れている施設など、さまざまです。まずご本人と一緒に見学し、施設との相性を見極めることをおすすめします。

見学に際しては、事前に施設のパンフレットを取り寄せて、確認したい項目を洗い出し、メモにしておきましょう。また、見学時にはチェックシート以外に、デジタルカメラ、メジャー、最寄り駅からの施設までの地図を用意しておくとよいでしょう。

見学チェックシート

☑	項目	メモ
□	最寄り駅からの交通の便	
□	建物の清掃は行き届いているか	
□	スタッフの数と雰囲気	
□	入所者の雰囲気	
□	浴室のスペースと設備	
□	入浴の回数／週と時間	
□	トイレの設備	
□	排泄への介助の種類と回数	
□	食事内容と治療対応食、メニュー選択などの有無	
□	居室の設備（ベッド・トイレ・収納・手すり・ナースコールなど）	
□	私物の持ち込みについて（どの程度持ち込めるか）	
□	終末期対応	
□	その他	

19 介護老人保健施設

状態の安定した高齢者がリハビリ・介護を受けながら在宅復帰を目指す施設。

対象▶ 要介護 1 2 3 4 5 要支援 1 2

どんなサービス？

身体介護や生活援助サービスの他に、医師・看護師による医療ケアと理学療法士、作業療法士などのセラピストによるリハビリを受けることができます。

在宅復帰が決まると「退所時指導」として、施設の職員が利用者宅に赴き、医療関係者がいない環境でも安心して暮らせるよう指導・調整を行います。利用者宅で得た情報をリハビリ・ケア計画に活かすことが目的です。

在宅復帰が前提なのでターミナルケアには積極的ではないものの、病院併設の施設などで行われ始めています。

入所条件

介護老人福祉施設同様、施設が行う判定会議を経て入所が決まります。

入所の基本条件

- 65歳以上であること
- 要介護1以上の認定を受けていること
- 病状が安定して入院の必要がないこと

申し込み方法（手続き）

① 書類を受け取ることも含めて直接施設に出向くことが基本ですが、電話で書類の郵送を依頼することもできます。

② 必要な書類をそろえて、施設に直接申し込みます。

○費用

- 入所一時金は不要ですが、介護サービス費、居住費、食費、日常生活費が毎月かかります。居住費、食費、日常生活費は介護老人福祉施設と同様です（P137 参照）。
- 医療費（薬代含む）は、利用料に含まれているので、特別な診察や治療がない限り医療費が別途発生することはありません。

介護サービス費

● 多床室

要介護度	在宅強化型 ※1（単位／日）	基本型 ※2（単位／日）	その他 ※3（単位／日）
要介護1	871	793	777
要介護2	947	843	826
要介護3	1,014	908	889
要介護4	1,072	961	941
要介護5	1,125	1,012	991

● ユニット型個室・ユニット型個室的多床室

要介護度	在宅強化型（単位／日）	基本型（単位／日）
要介護1	876	802
要介護2	952	848
要介護3	1,018	913
要介護4	1,077	968
要介護5	1,130	1,018

※1 在宅強化型とは以下の条件を満たすものです

- 在宅復帰・在宅療養支援指導等指標が60以上＋リハビリテーションマネジメント、退所時指導等、地域貢献活動、充実したリハ

※2 基本型とは以下の条件を満たすものです

- 在宅復帰・在宅療養支援指導等指標が20以上＋リハビリテーションマネジメント、退所時指導等、地域貢献活動

※3 その他：在宅強化型、基本型以外のもの

加算 短期集中的なリハビリテーションの実施／ターミナルケア加算／退所時等支援加算／夜勤職員の手厚い配置／かかりつけ医連携薬剤調整加算（Ⅰ～Ⅲ）／リハビリテーションマネジメント計画書情報加算／自立支援促進加算／科学的介護推進体制加算（Ⅰ・Ⅱ）／退所時栄養情報連携加算（新設）／協力医療機関連携加算（新設）／認知症チームケア推進加算（新設）／高齢者施設等感染対策向上加算（新設）／新興感染症等施設療養費（新設）／生産性向上推進体制加算（新設）など。

減算 定員を超えた利用や人員配置基準に違反／身体拘束についての記録を行っていない／高齢者虐待防止措置未実施減算（新設）／業務継続計画未策定減算（新設）など。

○特徴１：医療体制が充実

在宅復帰が前提の介護老人保健施設は、医療従事者の配置に明確な基準が設けられており、医療体制が充実しています。

医師	入所者100人あたり1人以上の医師の常勤が義務づけられている。医師は診断や診療を行うだけでなく、看護や介護・リハビリのアドバイザーとしての役割を担い、3カ月に1度の入所判定も行う。
セラピスト	入所者100人当たり1人以上の常勤が義務付けられている。理学療法士、作業療法士、言語聴覚士などの専門職が指導する本格的なリハビリで、日常生活への回復を目指す。
看護・介護職員	常勤換算で3：1（うち、看護職は看護・介護職員総数の2／7程度）。ほとんどの施設が24時間体制で看護職員を配置。

○特徴２：在宅復帰を目指す施設

介護老人保健施設は、病院と自宅との中間施設という位置づけです。そのため、以下のような特徴があります。

- 3カ月ごとに在宅復帰が検討され、「退所できる」と判断されると、継続して住み続けることはできない（原則）。
- 目標をもってリハビリに専念できるので、状態が安定していて自宅での生活を望む人にとっては最適な施設。
- リハビリが中心なので、介護老人福祉施設に比べるとイベントやレクリエーションが少ない。

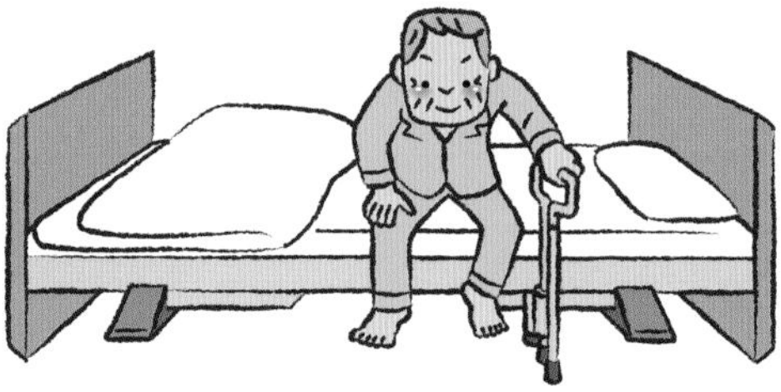

○特徴３：主治医が変わる

- 入所すると、主治医が介護老人保健施設の医師に変わるので、それまで診てもらっていた医師にかかることはできなくなる。
- 他科を受診する場合は、施設の主治医の紹介状が必要になり、治療費のうち自己負担分を除いた額の請求は施設に来る。
- 介護保険と医療保険を同じ人の同じ治療で使うことはできないため、入院が決まるとその日のうちに退所となる。

介護老人福祉施設と介護老人保健施設の比較

	介護老人福祉施設	介護老人保健施設
施設の役割	介護が必要で自宅での生活が困難な高齢者が必要な支援を受けて生活する施設 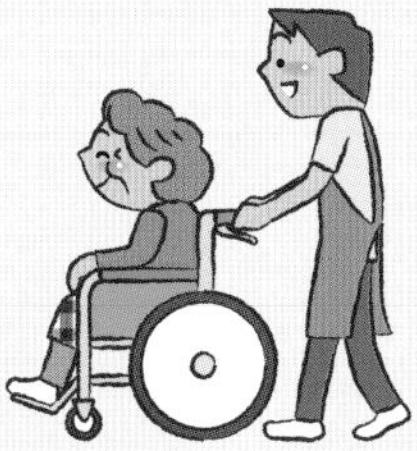	状態が安定している高齢者が必要なリハビリ等を受けて在宅復帰を目指す施設 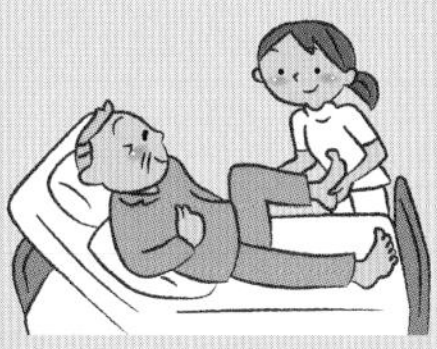
設置主体	社会福祉法人	医療法人
入所条件	（原則）要介護３以上	要介護１～５
主なサービス内容	食事や入浴、排泄などの基本的な介護と生活援助 	看護・医学的管理のもと、リハビリに重点をおいた介護 
利用期間	（原則）終身利用	（原則） 3～12カ月（3カ月ごとに判定）
居室のタイプ	多床室 従来型個室 ユニット型個室的多床室 ユニット型個室 	
居室面積	10.65㎡／１人以上	８㎡／１人以上
スタッフ	利用者100人に対して医師1人（非常勤可）、看護職3人、介護職31人、ケアマネジャーが配置され、介護に重点がおかれた人員配置となっている	利用者100人に対して医師1人（常勤）、看護職9人、介護職25人、ケアマネジャー、リハビリ職（理学療法士、作業療法士、言語聴覚士）が配置され、リハビリ・医療に重点が置かれた人員配置となっている
入所時費用	不要	
月額費用（目安）	約8～14万円	約9～15万円

ご利用者・家族へ よくわかるサービス解説

介護老人保健施設

リハビリで自宅復帰を目指す

状態の落ち着いた高齢者が、医療的管理のもと、リハビリ・介護を受けながら在宅復帰を目指すための施設です。自宅と医療機関の中間的施設として位置づけられています。「老健」とも呼ばれます。

メリット

- 在宅復帰を目指すことができる
- 機能訓練が充実
- 手厚い医療ケアが受けられる（インスリン注射、胃ろうなどの経管栄養、たんの吸引にも対応）
- 初期費用は不要で月額費用も民間施設と比較すると安い

デメリット

- ×入所期間が限定される
- ×多床室が多い（個室は特別室料が加算される）
- ×洗濯や買い物代行などの生活支援サービスは充実していない
- ×リハビリがメインなので、レクリエーションやイベントは充実していない

いくらかかる?

入居一時金などの初期費用は不要です。入所後に月額費用として「介護サービス費」と「生活費（居住費・食費・その他日常生活費）」が必要です。

費用は、要介護度、居室のタイプ、地域（単位の単価）などにより変わります。

- 居住費：家賃。居室のタイプによって料金は異なります。
- 食費：要介護度などに関係なく一律です。
- 日常生活費：日用品購入、理美容代、洗濯代など。
- 介護サービス費：ケアを受けるためにかかる費用。

費用の目安

居室のタイプ	月額費用
多床室（4人部屋）	6～10万円
従来型個室	11～13万円
ユニット型個室的多床室	11～13万円
ユニット型個室	12～17万円

※居室のタイプはP137を参照してください。

在宅復帰を目指して行われるリハビリテーション

● リハビリテーション：起き上がりやベッドから車いすへの移乗、歩行訓練、家事など、その人が地域に戻るために必要なリハビリを行います。

老健のリハビリ回数	1回のリハビリ時間
週2回以上	20～30分

※週1回は集団リハビリでも可

● 短期集中リハビリ：入所してから3カ月間は週3回以上の短期集中リハビリを受けることができます。

● 退所時指導：スタッフ（理学療法士や作業療法士などのリハビリ専門職）が訪問して自宅環境を確認、状況に合わせたリハビリテーションを実施します。また、居宅ケアマネジャーと連携して、住宅改修や福祉用具の準備などのアドバイスも行います。

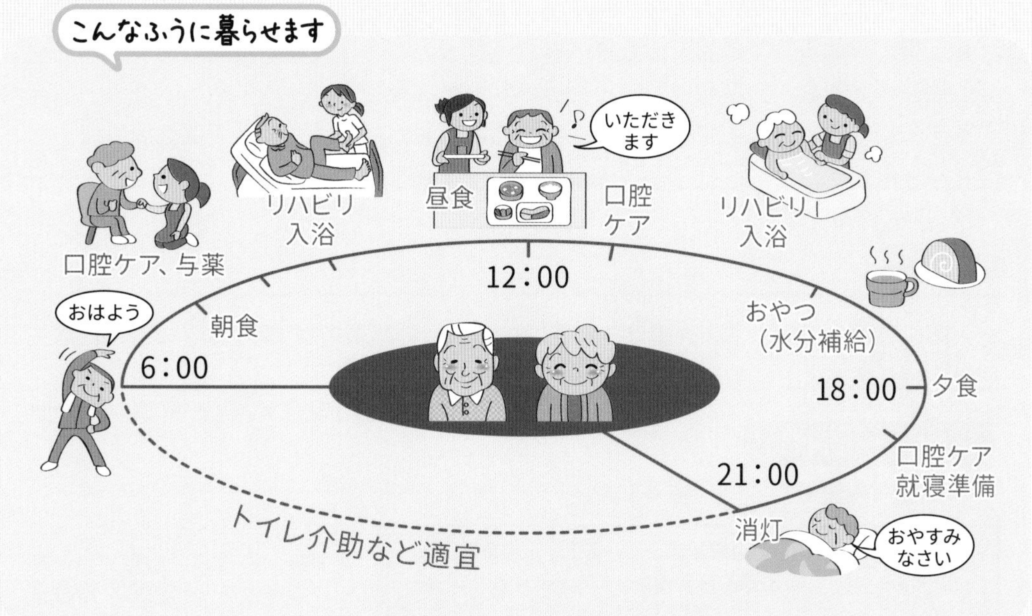

20 介護医療院

施設サービス

介護療養型医療施設の廃止を受けて 2018 年度に新設された介護保険施設。

対象▶ 要介護 1 2 3 4 5　要支援 1 2

どんなサービス？

住まい・医療・介護・看取りを包含した新しいモデルです。利用者像は２種類に分けられています。

- Ⅰ型：長期療養が必要である重篤な身体疾患、および身体合併症のある認知症高齢者が対象。介護療養型施設相当のサービスを提供
- Ⅱ型：Ⅰ型と比べて状態が安定している高齢者が対象。介護老人保健施設以上のサービスが提供されるよう人員・設備・運営基準などを設定

費用

入所一時金は不要です。介護サービ費以外の毎月の経費項目（居住費・食費・日常生活費）は介護老人福祉施設と同様です（P137 参照）。

介護サービス費

● 多床室（看護６：１　介護４：１）

要介護度	Ⅰ型療養床（療養強化型Ａ相当）（単位／日）	Ⅱ型療養床（転換老健相当）（単位／日）
要介護１	833	786
要介護２	943	883
要介護３	1,182	1,092
要介護４	1,283	1,181
要介護５	1,375	1,261

減算 高齢者虐待防止措置未実施減算（新設）／業務継続計画未策定減算（新設）

加算 初期加算、緊急時施設療養費加算／経口移行加算／重度認知症疾患療養体制加算／排泄支援加算（Ⅰ～Ⅲ）／退所時栄養情報連携加算（新設）／協力医療機関連携加算（新設）／認知症チームケア推進加算（新設）／高齢者施設等感染対策向上加算（新設）／新興感染症等施設療養費（新設）／生産性向上推進体制加算（新設）／科学的介護推進体制加算（Ⅰ・Ⅱ）／自立支援促進加算など。

介護医療院

医療・介護が充実の長期療養施設

高齢化に伴って急増している医療・介護の両方を必要とする人が安心して過ごせる場です。医療を提供しつつ、生活施設としての機能も兼ね備えています。

メリット

- 経管栄養や痰の吸引など日常的に医療ケアが必要な人に対応できる
- ターミナルケアや看取りにも対応している
- 自立に向けたリハビリテーションが充実している
- 生活の場としての機能・環境、日常生活に必要な介護が充実している

デメリット

- ×多床室が多く、個室が少ないのでプライバシーの保護が難しい
- ×医療ケアがあるので福祉施設に比べると費用が高め
- ×介護老人福祉施設などに比べてレクリエーションなどが少ない

いくらかかる?

初期費用は不要です。毎月以下の利用料が必要です。

- 居住費：家賃。居室のタイプによって料金は異なります。
- 食費：要介護度に関係なく一律です。
- 日常生活費：日用品購入、理美容代、洗濯代など。
- 介護サービス費：ケアを受けるためにかかる費用。

費用の目安

要介護度、居室のタイプ、地域（単位の単価）などにより変わります。

居室のタイプ	月額費用
多床室（４人部屋）	8～14万円
ユニット型個室	11～17万円

21 特定施設入居者生活介護

居宅サービス

施設サービスのようですが、
居宅サービスの一種です。

対象▶ 要介護 1 2 3 4 5　要支援 1 2

どんなサービス？

日常生活に介護が必要な高齢者が入所する特定施設で自立した日常生活を営むために、食事、入浴、排泄、機能訓練などの介護を24時間365日提供するサービス。

施設は介護保険上の人員基準、設備基準を満たしていることが必要（特定施設）です。入所定員が29人未満の場合は、地域密着型特定施設入居者介護になります。

特定施設入居者生活介護の種類

- 有料老人ホーム（住宅型、健康型は除く）
- 軽費老人ホーム（ケアハウス）
- 養護老人ホーム
- サービス付き高齢者向け住宅（有料老人ホームに該当するもの※）

※有料老人ホームに該当するもの：①食事の提供　②介護の提供　③家事の供与　④健康管理の供与　のいずれかを実施している施設

地域密着型特定施設入居者生活介護

入所定員が29人以下の特定施設入居者生活介護は、地域密着型サービスに位置づけられるため、利用施設と同一市区町村に住んでいる人が対象です。また、市区町村、地域包括支援センター、地域住民などで構成する運営推進会議を設置しなければなりません。

指定手続きは事業所のある市区町村に行います。ただし、都道府県が介護保険事業支援計画で定めた「必要利用定員」を超える場合には、市区町村は申請を拒否することができます。

費用

他の施設同様、介護サービス費、居住費、食費、日常生活費が、毎月かかります（P137参照）。低所得者のための負担軽減はありません。

介護サービス費

要介護度	単位／日
要支援1	183
要支援2	313
要介護1	542
要介護2	609
要介護3	679
要介護4	744
要介護5	813

加算 退院・退所時連携加算／入居継続支援加算（Ⅰ・Ⅱ）／生活機能向上連携加算（Ⅰ・Ⅱ）／口腔衛生管理加算／若年性認知症入居者受け入れ加算／ADL維持等加算（Ⅰ・Ⅱ）／口腔・栄養スクリーニング加算／退居時情報提供加算（新設）／高齢者施設等感染対策向上加算（新設）／新興感染症等施設療養費（新設）／生産性向上推進体制加算（新設）など。

減算 高齢者虐待防止措置未実施減算（新設）／業務継続計画未策定減算（新設）

特定施設とは？

特定施設とは、民間の施設のうち、介護費用が介護保険の対象になる施設のことで、厚生労働省が定める基準を満たす必要があります。

なお、特定施設入居者生活介護事業者の指定を受けていない事業者は、「介護（ケア）付き」「介護（ケア）あり」という表示をすることはできません。

特定施設の基準

人員基準

管理者	1人（兼務可）
生活相談員	利用者100人に対して1人
看護・介護職員	3：1（看護職は利用者30人までは1人、30人を超える場合は50人ごとに1人）
機能訓練指導員	1人以上（兼務可）
ケアマネジャー	1人以上（兼務可）

設備基準

介護居室	原則個室
浴室	身体の不自由な人が入浴するに適したもの
トイレ	居室のある階ごとに設置し、非常用設備を備える
食堂・機能訓練室	機能を十分に発揮できる適当な広さ
施設全体	利用者が車いすで円滑に移動することが可能な空間と構造

有料老人ホーム

大きく分けて3型に分類されます。

設置基準に規制がないため民間企業が多く参入しており、仕様はさまざまです。申込みは、施設に直接行います。

分類	入所条件	内容
介護付き	要介護１以上	特定入居者生活介護の指定を受けている老人ホーム。施設内でスタッフが日常生活を送るための支援を行います。 ・介護専用型：要介護認定を受けている人のみ ・混合型：自立と要介護の人のどちらも受け入れる ・自立型：入居時に自立している人のみ
住宅型	自立～軽要介護	食事などの生活支援サービスがあります。介護が必要になった時は外部の事業者を利用します
健康型	自立	健康で自立している人のためのホーム。介護が必要になった時には退居しなければいけない場合があります

サービス付き高齢者向け住宅（サ高住）

2011年に施行された「高齢者の居住の安定確保に関する法律（高齢者住まい法）」に基づいて創設された民間の賃貸型の住まいです。

項目	内容
サービス	ケアの専門職が日中建物内に常駐して、安否確認サービスと生活相談サービスを提供します
介護が必要になった時	特定入居者生活介護の指定を受けている時はその施設から、そうでない場合は介護サービス事業者を自由に選択・変更できます
設備	・個室の床面積は25m²以上（台所、居間などが共有なら18m²以上） ・バリアフリー構造であること
申し込み	施設に直接申し込みます
契約	・専有部分が明示された契約書であること ・長期入院などを理由に事業者から一方的に契約を解除することはできない ・事業者が受領することができる金銭は敷金、家賃、サービス費のみで、権利金やその他の金銭を受領することはできない ・事業者は住宅の工事完了前に前払金を受領することはできない

軽費老人ホーム（ケアハウス）

軽費老人ホームは、老人福祉法に基づいて、無料または低額な料金で入所の高齢者に生活支援を行う施設で、A型・B型、ケアハウス（一般型・介護型）に分けられます。

A型B型は2008年に新設が廃止され、ケアハウスに一本化されています。申し込みは施設に直接行います。

項目	内容	
A型・B型	A型は食事の提供があり、B型は自炊ができる人が入居対象です。どちらも介護が必要な高齢者は入居できません	
ケアハウス	「軽費老人ホームC型」とも呼ばれます。一般型と介護型があり、どちらも食事の提供などの生活支援を受けられます	
ケアハウス	一般（自立）型	・介護が不要な人～軽度の介護が必要な高齢者が対象。見守り、生活支援、緊急時対応などのサービスが受けられます ・介護が必要になった場合は外部の事業者からサービスを受けて、要介護2まで入居可能です ・入居条件：60歳以上の高齢者または夫婦のどちらか一方が60歳以上
ケアハウス	**介護（特定施設）型**	・入浴や食事などの介護のほか、機能訓練や医療ケアなどを受けることができます ・介護スタッフが常駐しています ・入居条件：要介護度1以上で65歳以上

養護老人ホーム

主に地方公共団体と社会福祉法人が運営する施設で、環境的・経済的に在宅で生活することが困難な高齢者が対象です。申し込みは市区町村窓口に行います。

養護老人ホームの特徴

- 市区町村が対象者の調査を行い、入居を決定する
- 介護職員は配置されておらず、介護サービスは行っていない
- 介護が必要になった場合には、外部の介護サービスを利用し、重度になると退所しなければならない

特定施設入居者生活介護

介護保険が使えるその他の施設

有料老人ホーム、ケアハウス、養護老人ホーム、サービス付き高齢者向け住宅（サ高住）の中で、厚生労働省が定めた基準を満たした施設のことです。介護保険の対象になります。

有料老人ホーム　サ高住　ケアハウス　養護老人ホーム

特定施設入居者生活介護の種類と入所条件

施設名	対象者	サービス	特徴
特定施設入居者生活介護	要介護１以上	・包括型：施設のスタッフが介護サービスを行う ・外部サービス利用型：施設が契約する外部の事業者がサービスを行う	
地域密着型特定施設入居者生活介護	要介護１以上要介護認定を受けている人とその配偶者		・定員29人以下 ・施設のある市町村の住民対象
介護予防特定施設入居者生活介護	要支援１〜２		

有料老人ホーム

有料老人ホームの種類

項目	介護付き有料老人ホーム	住宅型有料老人ホーム	健康型有料老人ホーム
対象	主に要介護１以上	比較的元気な人	介護を必要としない元気な人
サービス	特定入居者生活介護の指定を受けている老人ホーム。介護費用が介護保険の対象になります。	介護が必要な時は外部の事業者を利用します	介護が必要になると退所しなければいけない場合があります
契約	終身利用権		
申し込み	施設に直接申し込みます		

メリット

- 介護サービス費が定額制なので費用面で安心できる
- 看護職員、介護職員が配置されており、細やかなケアが受けられる
- レクリエーションが盛んでイベントなども多彩である
- 提携病院の往診がある

デメリット

- ×初期費用が必要で高額なことが多い
- ×毎月支払う費用も他のサービスに比べると高めである
- ×外部のサービスを使うことができない
- ×食事、入浴の時間が決まっていることが多く、生活に多少の制限が生じる

いくらかかる？

入居一時金	月額費用
０～数千万円	20～50万円

サービス付き高齢者向け住宅

サービス付き高齢者向け住宅は、高齢者単身・夫婦世帯向けの賃貸住宅です。通常「サ高住（こうじゅう）」と呼ばれています。一般型と介護型があり、介護型が「特定施設入居者生活介護」になります。

特徴

介護型

- バリアフリー構造の賃貸住宅
- 入居一時金は敷金。返還金制度が設けられているので、納めた家賃分の期間を償却期間とし、それを満たす前に退去となった場合は未償却分が返還される
- 見守りサービス（安否確認と生活相談）を受けることができる
- 介護が必要になった場合は、施設のスタッフによる包括型と外部のサービスを利用する外部サービス利用型を選ぶことができる

介護が必要になった場合は建物内に常駐するスタッフから介護サービスや生活支援サポートを受けることができ、重介護の人にも対応しています。

メリット

- キッチンがついている個室なので、プライバシーが守られて生活の自由度が高い
- 外出や外泊が自由にできる
- 入居一時金が敷金のみなので安く住み替えがしやすい

デメリット

- ×サービスの種類がさまざまでわかりにくい
- ×レクリエーションなどの入居者同士の交流が少ない
- ×介護の必要度によって住み続けることが難しい場合がある

いくらかかる？

初期費用	月額費用
数十万円	15～40万円

ケアハウス（軽費老人ホーム）

サポートを受けながら個室で生活できる施設です。一般（自立）型と介護（特定施設）型があり、介護型が「特定施設入居者生活介護」になります。

特徴

介護型

- 65歳以上・要介護1～2で身寄りのない人、経済的事情などでご家族との同居が難しい人が対象
- 施設のスタッフによる介護を受けることができ、要介護度が上がっても、住み続けることができる
- 居室（個室）に生活設備が設置されている

いくらかかる？

入居一時金	月額費用
介護型：数十～数百万円	介護型：6～20万円程度

養護老人ホーム

住居がない、無年金など、在宅で生活できない高齢者のための福祉施設です。

特徴

- 他の施設と比較して、利用料が低額
- 介護のためのスタッフはいない
- 入所の可否は市区町村が決定する
- 要介護度が重くなると退去しなければならない可能性がある

いくらかかる？

入居一時金	月額費用
不要	前年度の収入によって決まり、0～約14万円程度。徴収額が施設の必要経費に満たない場合は、（扶養義務者の経済状況に応じて）扶養義務者が負担する

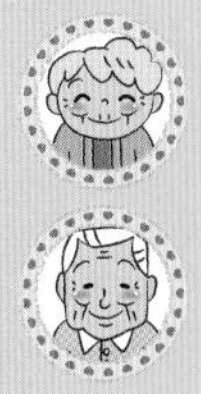

ケアマネジャーが知っておきたいキーワード

ACP

ACPは「アドバンス・ケア・プランニング」の略で、長患いや老化による衰えで回復が難しくなったときに備え、これからの治療と療養生活について、あらかじめ話し合うプロセスです。具体的には、医師など医療従事者から適切な情報の提供と説明がなされ、本人を中心に関係者が幾度も話し合い、内容を「私とみんなの意思表示」としてまとめます。

幾度も話し合うところから、別名「人生会議」とも呼ばれます。

共生型サービス

障害福祉サービスを受けていた障害者が65歳になると、介護保険サービスが優先されます（介護保険優先の法則）。そのため、障害をもつ人が65歳になり、介護保険の被保険者となると、使い慣れた障害福祉サービス事業所を利用できなくなるケースがありました。この問題を解消するため、障害者と高齢者が同時にサービスを受けられる「共生型サービス」が創設されました。

対象となるサービスは、訪問介護、通所介護、短期入所生活介護です。

横出し・上乗せサービス

介護保険の訪問介護サービスでは、対応できないことも多くあります。そのため市区町村では、独自にその一部分に対応する下のようなサービスを行う、いわゆる「横出しサービス」を設けている場合もあります。

また、介護保険の支給限度基準額を超えて利用したい場合に、市区町村が独自で財源から負担して提供する「上乗せサービス」を設けていることもあります。

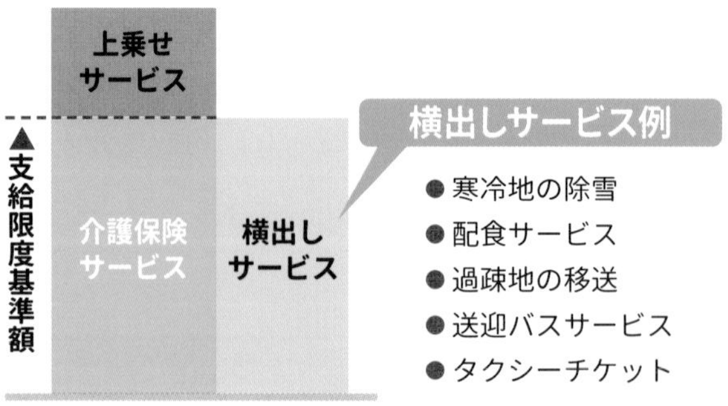

第4章

介護保険の豆知識

ここでは、介護保険制度と国の示す方向性などをみていきます。

日本の将来像を視野に入れ、介護保険制度の持続性を考えることもケアマネジャーに求められる視点です。

1 介護保険の目的と経緯

介護保険は、介護が必要な高齢者を社会全体で支えるためにつくられました。給付は介護保険財政から行われ、必要な人に介護サービスを提供する制度です。

介護保険制度のこれまで

- 介護保険制度以前の介護は措置制度で、行政権限として与えられるものでした。
- 2000年4月から介護保険制度がスタートし、介護はプロの介護職が提供するサービスとなり、原則利用者側が選んで契約するものになったのです。
- 介護保険制度は税金と、40歳以上の人が支払う介護保険料で運営されています。
- 現在は利用者の急増で介護保険財政の行き詰まりがみえ始めています。
- 新たにみえてくる課題に対応するため、介護保険法は3年に1度改正されます。
- 介護保険法改正では、保険料や自己負担額の見直しから、在宅復帰の推進など制度の方向性まで、この制度を存続させていくための幅広い見直しが行われます。

介護保険料改定の推移

年度	2000年	2003年	2006年	2009年	2012年	2015年	2018年	2021年
第1号保険料（全国平均）	2,911円	3,293円	4,090円	4,160円	4,972円	5,514円	5,869円	6,014円
第2号保険料（全国平均）	2,075円	3,196円	3,595円	4,093円	4,622円	5,081円	5,353円	5,788円

介護保険料は市区町村によって金額差が激しいのが現状です。ここでまとめたのは全国平均の金額ですが、実際には3,000～9,800円と、地域によって3倍以上の開きがあります。これは、地域の高齢化率が保険料の決定に影響するためです

介護保険法改正の流れ

年度	主な改正ポイント
2000年	**介護保険法施行**
2003年	**介護報酬改定**
2006年	**改正介護保険法施行** 介護予防の導入、要支援の新設、地域密着型サービスの創設に伴い地域包括支援センターを創設するなど
2009年	**一部を改正した介護保険法施行** 加算の追加等料金調整、サービス付き高齢者向け住宅の創設など
2012年	**改正介護保険法施行** 定期巡回・随時対応型訪問介護看護の創設、複合型サービスを創設、介護職の一部医療行為解禁、地域包括ケアシステムの推進など
2015年	**改正介護保険法施行** 一部利用者の自己負担額を2割に、要支援者のケアを地域支援事業へ、小規模デイサービスの地域密着型への移行、地域包括ケアシステムの促進など
2018年	**改正介護保険法施行** 一部利用者の自己負担額を3割に、介護医療院の創設、認知症施策推進、地域包括支援センターの機能強化、地域づくりと総合事業の促進、共生型サービスの創設など
2021年	**改正介護保険法施行** 感染症や災害への対応力強化、地域包括ケアシステムの推進、自立支援・重度化防止の取組の推進、介護人材の確保・介護現場の革新など
2024年	**改正介護保険法施行** 地域包括ケアシステムの深化・推進、自立支援・重度化防止に向けた対応、良質な介護サービスの効率的な提供に向けた働きやすい職場づくり、制度の安定性・持続可能性の確保など

2 他の社会保障制度等との関連

介護保険制度だけでなく、医療保険や障害者福祉サービス、労災、生活保護等、公的な給付制度にはどのようなものがあるのかを知りましょう。

社会保障制度について

生活の中で困難に陥った私たちを支えてくれる公的な給付制度には、大きく分けて「社会保障」と「社会保険」があります。

社会保障とは、財源が国の税金から賄われ、必要な国民に無償で提供される保障制度です。大きく分けて、以下の3種類があります。

社会保障	社会福祉	・障害者総合支援制度などの障害者の生活を守る制度 ・高齢者専用住宅の整備などの高齢者福祉制度 ・保育所の運営や児童手当などの児童福祉制度 ・母子世帯の援助などの母子・寡婦福祉制度　　など
	公的扶助	・生活保護や生活福祉資金貸付制度など、生活困窮者に必要な保護を行い、自立を支援する制度 （生活保護受給者が介護保険制度を利用する際に発生する費用はすべて生活保護費から賄われるので、自己負担はなし）
	公衆衛生・環境衛生	乳幼児に対する予防接種や成人の健康診断など、国民の健康を維持するための制度

社会保険とは、主な財源が国民の支払う保険料で賄われ、そのなかから必要な人に対して支給される制度です。代表的なものに、以下があります。

社会保険	● 介護保険 ● 年金保険（国民年金、厚生年金） ● 公務災害補償 ● 雇用保険	● 医療保険（健康保険、国民健康保険） ● 労働者災害補償保険（労災） ● 自動車損害賠償責任保険（自賠責保険） など

65歳以上で介護が必要になった場合、一般的には介護保険制度を利用します。しかし、介護が必要になった理由や状態によっては、介護保険よりも他の給付が優先されることがあります。優先順位は右ページの図のとおりです。

介護保険より優先される給付

労働者災害補償保険（労災）	業務中や通勤中に事故にあうなどして介護が必要な状態になった場合
公務災害補償	国家公務員や地方公務員が公務中や通勤中に事故にあうなどして介護が必要な状態になった場合
自動車損害賠償責任保険（自賠責保険）	交通事故が原因で介護が必要な状態になった場合

介護保険より優先順位が低い給付

医療保険	訪問看護、訪問リハビリ、デイケアなどでは介護保険が優先される
障害者福祉サービス	介護保険制度にはない同行援助、行動援助、自立訓練、就労移行支援等のみ障害福祉サービスを使い、それ以外は介護保険優先

例外を把握して制度の隙間もくまなく使おう！

障害者福祉サービスを受けていた人が65歳になると、介護保険制度が優先されますが、あくまで「介護保険制度と重なるサービスのみ」です。障害者福祉サービスにしかないサービスは、これまで同様に利用できます。他にも、病状が重いと医療保険の訪問看護を受けられる場合もあるので、介護保険サービスだけでは手薄な部分は、他制度をうまく利用したいものです。

生活保護について

生活保護制度は、憲法第25条の理念に基づいて、困窮する国民に必要な最低限の生活を保障する制度です。生活保護受給者の約半数は高齢者なので、ケアマネジャーは生活保護制度と介護保険サービスの関係を知っておく必要があります。

生活保護と介護保険の関係

- 介護保険は生活保護の中の「介護扶助」で、現物給付されます。
- 65歳以上になると、生活保護受給者も介護保険の第1号被保険者に分類されます。介護保険料は生活保護費の生活扶助から、サービス料金は介護扶助から支払われるので、利用者の実質的な自己負担は0円です。
- 40歳以上65歳未満の生活保護受給者は、医療保険に加入していない関係で、介護保険の第2号被保険者になれません。発生した費用はすべて、生活保護費の介護扶助として公費で負担されます。
- このほか生活保護受給者は、施設の入居費や食費の減免が受けられます。

介護保険制度との違い（手続き方法）

介護扶助の必要性については、「要介護認定結果」および「介護サービス計画」に基づいて福祉事務所長が判断します

→ 生活保護法による「指定介護機関」に、福祉事務所長が介護サービスを依頼します

→ 生活保護受給者は、福祉事務所が発行する「介護券」により介護サービスを受けます

公的年金制度について

日本の公的年金は、20歳以上60歳未満のすべての人が加入する「国民年金」と、会社員や公務員が加入する「厚生年金」の2階建てになっています。どの年金に加入しているかは、その人の職業によって異なります。

公的年金のしくみ

2階部分 → 会社員、公務員が加入
厚生年金

1階部分 → 日本に住んでいる20歳以上60歳未満のすべての人
国民年金（基礎年金）

公的年金の種類（基礎年金）

老齢基礎年金	障害基礎年金	遺族基礎年金
65歳から終身給付を受けることができる年金です。普通「年金」というと、この老齢基礎年金を指します。	加入中、病気やけがなどで一定の障害を負った場合に支給されます。	年金受給者や被保険者が亡くなったとき、原則18歳以下の子か子のある配偶者が給付を受けられます。

公的年金の大きな特徴は、①生涯にわたって受給できる、②物価上昇など経済の変化に比較的強い、③重度の障害を負ったときや一家の大黒柱が亡くなったときに対応できる、という点です。

公的年金と介護保険の関係

公的年金の受給額は、介護保険料の納付方法と関係があります。

公的年金が年額18万円以上ある人は、2カ月に一度の年金から天引きされます。これが「特別徴収」です。公的年金が年額18万円未満（低年金または無年金）の人は、市区町村から郵送される納付書か、口座振替で納付します。これが「普通徴取」です（P26参照）。

3 地域包括ケアシステムとは何か

介護保険法が改正されるたびに存在感を増し、「今後の日本の介護にとって大切だ」とうたわれる地域包括ケアシステムとは、どんなものなのでしょうか。

地域が作り上げるシステム

少子高齢化で、家族の介護力に頼れなくても高齢者が住み慣れた地域で暮らしていくためには、家族をフォローするしくみが必要です。そこで生まれた「地域が一丸となって高齢者の生活を支えよう」という考え方が、地域包括ケアシステムです。

地域包括ケアシステムの考え方

- 地域の介護・医療・生活支援・住まい・予防・福祉サービスの担当者が横のつながりをもって連携する
- 各市町村が、病院の位置や高齢者の人口割合などのその地域の特性に応じて、自主的に連携システムを作り上げる必要がある

自助・互助・共助・公助とは

地域包括ケアシステムの基本は「４つの助（自助、互助、共助、公助）」です。高齢者の暮らしは、まずは自助と互助で支えます。それでも困ってきたら共助を利用して、それでも困難な場合は公助を頼ります。

自助	自分で自分のことを助けようという考え方。自分でできることは自分でやり、体調が悪いと思ったら自ら早めに病院に行くといった自己管理を指す
互助	家族や近隣住民、友人などがお互いに助け合おうという考え方。料理を隣の高齢者におすそ分けしたり、ゴミ出しのついでに声をかけてお茶を飲んだりといった人づき合いが大切
共助	介護保険制度、医療保険制度、年金保険制度をはじめとする社会保険制度のこと
公助	共助でも対応できない事案に対して行われる最終的な社会救済。生活保護や人権擁護、虐待対策など

地域包括ケアシステムの主な連携

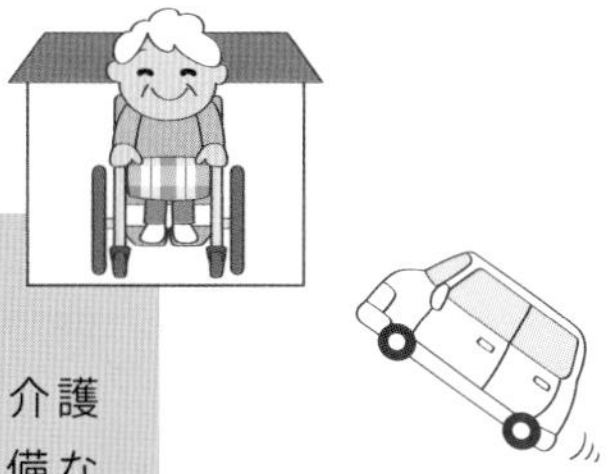

介　護

24時間対応の介護サービスの整備など、介護保険制度を使って地域に必要な介護体制を整える

医　療

訪問医を増やす、在宅医療対応、訪問看護や訪問リハビリ強化など、医療的ニーズへの対応

生活支援

介護予防・日常生活総合支援事業、生活支援体制整備事業など、市区町村が主体となって地域の高齢者を支援事業を運営する

地域がつながる

住まい

自宅のバリアフリー化、サービス付き高齢者向け住宅、有料老人ホームなど、国土交通省等が主体となって高齢者向けの住宅を整備する

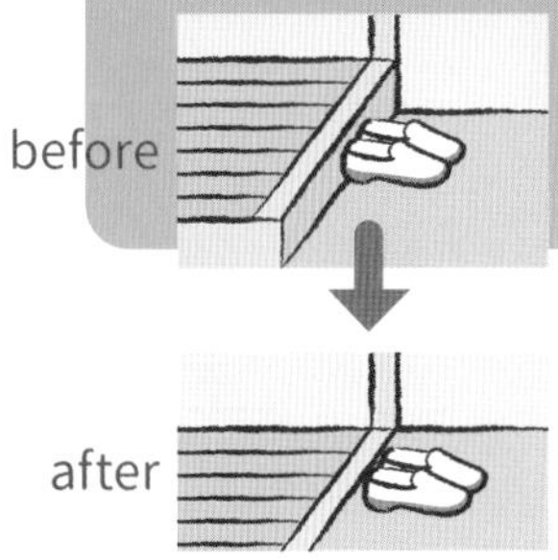

予　防

高齢者向け体操教室の開催、自立支援型の介護、健康診断など、地域の高齢者の要介護化を防ぐために、各ジャンルの専門家が支援する

福　祉

高齢者の財産管理、虐待の防止・発見・保護、成年後見制度など、福祉の専門家が地域の高齢者の権利を守る

4 地域共生社会とは何か

地域包括ケアシステムと並ぶ改革に、「地域共生社会の実現」があります。なぜこのような理念が掲げられ、どのように実現されようとしているのでしょうか。

地域共生社会が必要な背景

- これまでわが国の社会保障制度は、高齢者、障害者、子どもなど対象者ごとに支えてきました。
- 少子高齢化による人口減少の波は、耕作放棄地や空き家、商店街の空き店舗などの課題を顕在化しました。
- 個々の支援だけでなく、複合的な支援で地域社会を支える必要が出てきたのです。

「地域共生社会」とは

制度・分野ごとの『縦割り』や「支え手」「受け手」という関係を超えて、地域住民や地域の多様な主体が『我が事』として参画し、人と人、人と資源が世代や分野を超えてつながることで、住民一人ひとりの暮らしと生きがい、地域をともに創っていく社会です。

「地域共生社会」の実現に向けた改革の骨子

1	2	3	4
地域課題の解決力の強化	地域丸ごとのつながりの強化	地域を基盤とする包括的支援の強化	専門的人材の機能強化・最大活用

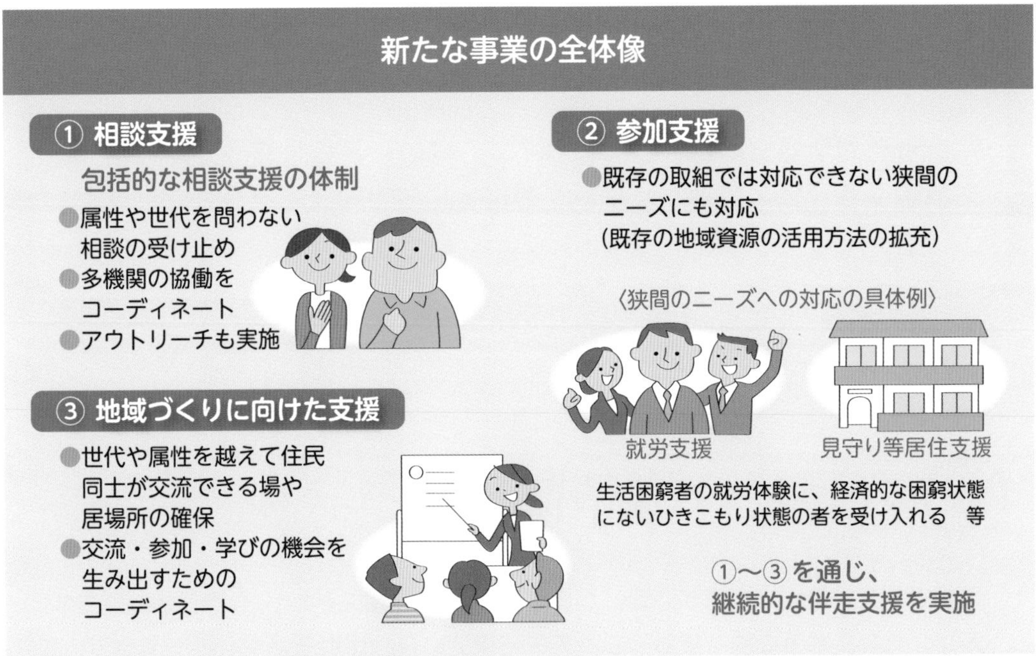

2017年に「重層的支援体制整備事業」が創設されました。上に掲げたのは、その全体像を示す図です。これを具体化するために、市区町村はそれぞれの地域の実情に合わせ、ふさわしいしくみややり方を決めていくことになります。

市区町村における取組

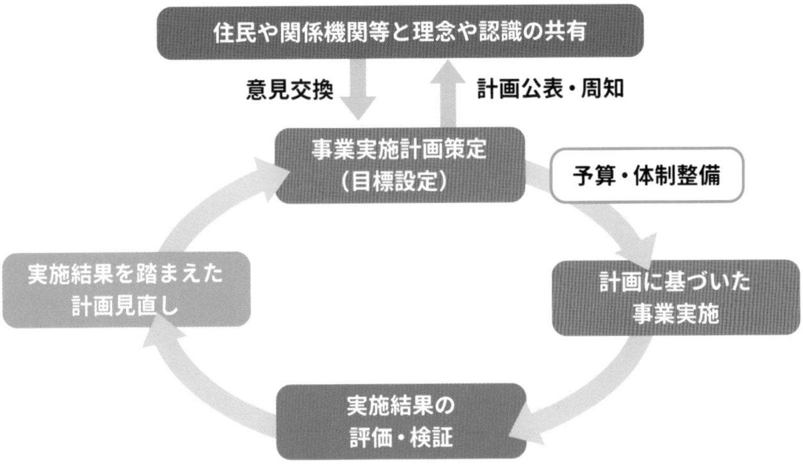

市町村は「重層的支援体制整備事業実施計画」を策定するよう努めることとしています。この事業の意義は、上の図のように地域住民と関係機関等とが議論を行い、考え方を共有するプロセス自体にあります。高齢者福祉は障害者福祉や子育て支援、困窮者支援などと協働しながら地域づくりに参加する視野が求められます。

5 介護給付と総合事業

高齢者に対する支援は大きく分けて、介護給付と総合事業があります。対象者やサービス内容などは、どのように違うのでしょうか。

介護と介護予防

病気やケガが原因で介護が必要になった高齢者を支援するのが、介護保険制度です。一方、元気な高齢者を放っておくことで、結果的に要介護者を増やしてしまっているのではないかという議論が起こりました。

そこで、元気に生活している高齢者を積極的に地域とつなぎ、活動的に暮らすことで今後要介護状態に進まないようにするために登場したのが、総合事業です。

総合事業の成功例

- 支援なしで閉じこもっていたら5年後に要介護になったはずの高齢者が、総合事業で定期的に運動できるようになりあと10年健康で暮らせるようになる。
- 要支援１の認定がとれるかとれないかの瀬戸際の高齢者が、不便をガマンして抱え込んでいたが、総合事業で支援を受けて健康で快適な生活になる。

ワンポイントアドバイス

ケアマネジャーも地域づくりを視野に入れよう！

これからのケアマネジャーの役割は、利用者、家族、介護保険サービスだけをみていては足りません。どうすれば利用者が、今まで暮らしてきた人間関係を維持し、地域とつながりながら暮らしていけるかにまで視野を広げなくてはなりません。

地域で行っている総合事業の内容等も把握して、最適なサービスを提案しましょう。地域の生活支援コーディネーターとつながり、利用者の生活を相談できるようにしておくと安心です。

総合事業か介護給付か

要介護に認定された人は介護保険サービスを受けますが、それ以外の人にはいくつかの選択肢があります。総合事業か介護給付かは、以下のチャートのとおりです。

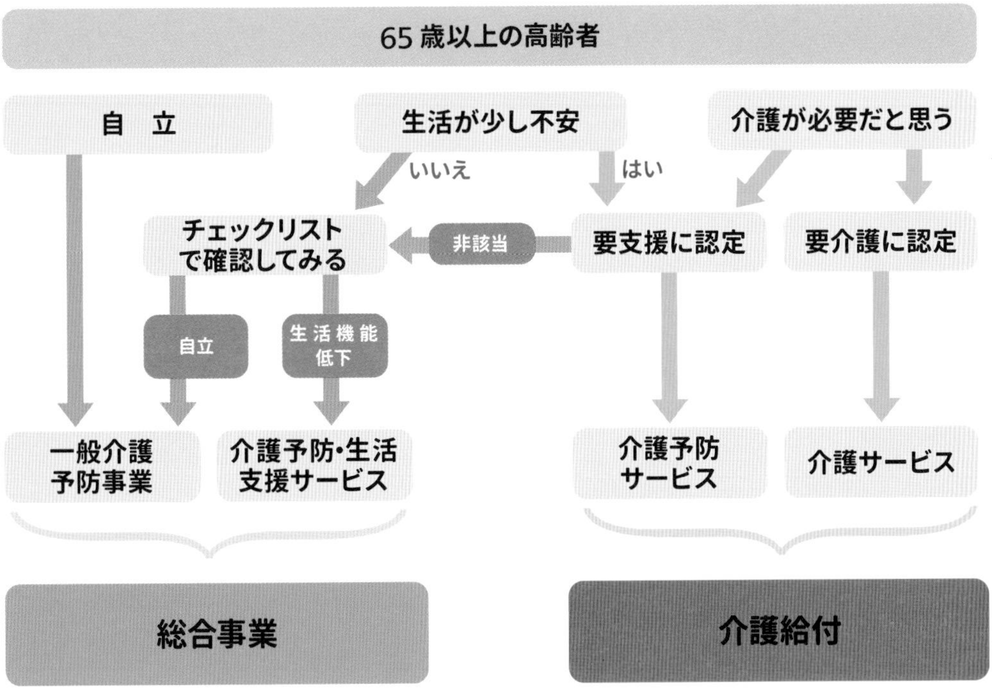

これからの介護予防の考え方

これまでは「要介護状態にならないように、個人の環境を整えサービスを提供するのが介護予防」と考えられてきました。しかし、「地域とつなげる支援を行い、ずっと住み慣れた土地で暮らしていけるようにサポートするのが介護予防」という方針に転換されつつあります。

	これまで	これから
対象	要介護予備群	すべての高齢者
目的	身体・精神機能の向上	社会参加
内容	介護予防サービス	居場所・つどいの場・支え合い

出典：高橋誠一監修　『生活支援体制整備事業をすすめるための市町村ガイドブック』CLC 2017年

6 日本の将来像と介護の課題

急速に進む少子高齢化によって起こる介護課題は、介護保険制度の財政難だけではありません。ここでは日本が抱えるさまざまな介護問題をまとめました。

日本の少子高齢化と介護

- 日本は驚くべきスピードで少子高齢化が進んでいます。
- 右ページ上の図のように、現役世代の稼ぎ手が減ると、社会保障や社会保険が立ち行かなくなります。

コラム

家族介護はもはや夢物語!? 頭を切り替えよう

厚生労働省の調査によると、要介護者の単身世帯は年々増え続けており、要介護者の45%以上が主介護者とは別居でした。

主介護者と同居といっても、そのうち約25%は配偶者です。同居している子ども世代の主介護者は、全体の30%程度しかいません。もはや「あそこの子どもは親の介護をしなくて薄情だ」などといえる時代ではありません。

子ども世代も仕事をもち、社会を支えています。頭を切り替えて、家族・プロ・地域住民などが連携して介護が必要になっても地域で生きいきと暮らせるよう、社会全体で支えていきたいものです。

高齢者と現役世代の割合

1950年は、65歳以上の人1人に対して12.1人の現役世代が介護や年金を支えていました。2015年には高齢者1人に対して現役世代は2.3人になり、2065年には高齢者1人に対して現役世代がたったの1.3人になる試算です。

世帯の変化からみえる介護問題

「令和4年国民生活基礎調査」をみると、介護を必要とする高齢者の単独世帯や核家族世帯が増え続けていることがわかります。この調査結果から、日本が抱えるさまざまな介護問題がみえてきます。

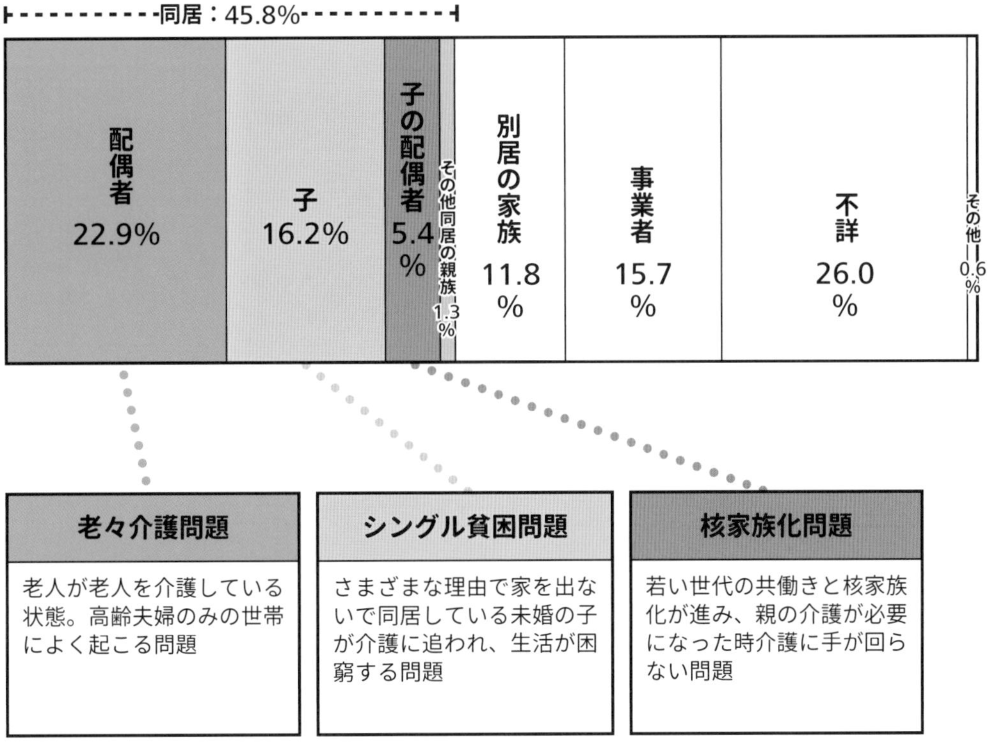

編集：中央法規「ケアマネジャー」編集部

本文 DTP・編集協力：有限会社七七舎
本文デザイン・装幀：マルプデザイン（宮崎萌美）
イラスト：コミックスパイラる（井上秀一）